ASTROLOGIE CHINOISE 2014

Dépôt légal: 2013
Bibliothèque et Archives nationales du Québec

Pour en savoir davantage sur nos publications,
visitez notre site : **www.quebec-livres.com**

Éditeur: Jacques Simard
Conception de la couverture: Bernard Langlois
Illustration de la couverture: Istockphoto/Shutterstock
Conception graphique: Sandra Laforest
Infographie: Claude Bergeron

Imprimé au Canada

Gouvernement du Québec – Programme de crédit d'impôt pour l'édition de livres – Gestion SODEC.

L'Éditeur bénéficie du soutien de la Société de développement des entreprises culturelles du Québec pour son programme d'édition.

Nous reconnaissons l'aide financière du gouvernement du Canada par l'entremise du Fonds du livre du Canada pour nos activités d'édition.

DISTRIBUTEURS EXCLUSIFS:

- Pour le Canada et les États-Unis:
  MESSAGERIES ADP*
  2315, rue de la Province
  Longueuil, Québec J4G 1G4
  Tél.: (450) 640-1237
  Télécopieur: (450) 674-6237
  * une division du Groupe Sogides inc., filiale du Groupe Livre Québecor Média inc.

- Pour la France et les autres pays:
  INTERFORUM editis
  Immeuble Paryseine, 3, Allée de la Seine
  94854 Ivry CEDEX
  Tél.: 33 (0) 4 49 59 11 56/91
  Télécopieur: 33 (0) 1 49 59 11 33

  Service commande France Métropolitaine
  Tél.: 33 (0) 2 38 32 71 00
  Télécopieur: 33 (0) 2 38 32 71 28
  Internet: www.interforum.fr

  Service commandes Export – DOM-TOM
  Télécopieur: 33 (0) 2 38 32 78 86
  Internet: www.interforum.fr
  Courriel: cdes-export@interforum.fr

- Pour la Suisse:
  INTERFORUM editis SUISSE
  Case postale 69 – CH 1701 Fribourg – Suisse
  Tél.: 41 (0) 26 460 80 60
  Télécopieur: 41 (0) 26 460 80 68
  Internet: www.interforumsuisse.ch
  Courriel: office@interforumsuisse.ch

  Distributeur: OLF S.A.
  ZI. 3, Corminboeuf
  Case postale 1061 – CH 1701 Fribourg – Suisse

  Commandes: Tél.: 41 (0) 26 467 53 33
  Télécopieur: 41 (0) 26 467 54 66
  Internet: www.olf.ch
  Courriel: information@olf.ch

- Pour la Belgique et le Luxembourg:
  INTERFORUM BENELUX S.A.
  Fond Jean-Pâques, 6
  B-1348 Louvain-La-Neuve
  Tél.: 00 32 10 42 03 20
  Télécopieur: 00 32 10 41 20 24

VICKI LEVINE

ASTROLOGIE CHINOISE 2014

L'ANNÉE DU CHEVAL DE BOIS

Introduction

L'existence de l'astrologie chinoise remonte à très loin dans le temps. On ne peut en retrouver l'origine exacte, mais la légende veut que, vers 550 avant notre ère, le Bouddha, pressentant la fin de sa vie, ait invité tous les animaux à lui rendre visite. À cette invitation, douze animaux se présentèrent. Par ordre d'arrivée, c'était le Rat, le Buffle (Bœuf), le Tigre, le Lièvre (Lapin ou Chat), le Dragon, le Serpent, le Cheval, la Chèvre (Mouton), le Singe, le Coq, le Chien et, enfin, le Sanglier (Cochon). C'est pour les remercier de leur présence que le Bouddha aurait institué une année en l'honneur de chacun d'eux: tout nouveau-né aurait les qualités de l'animal qui gouverne son année de naissance.

Puis, à chaque année dominée par un animal du zodiaque chinois, on a associé un élément, celui qui le caractérise le plus spécifiquement. Ainsi, chacun de nous se voit attribuer un animal et un élément selon son année de naissance. Par exemple, on sera Coq de Bois, d'Eau, de Métal... Les voici tous les cinq, avec leurs attributs.

Le Bois représente l'expansion, l'épanouissement, la générosité, la longévité et une belle vitalité. Les natifs du Bois sont généralement imaginatifs, souples et sociables. On les dit également chanceux.

Le Feu symbolise la chaleur, la joie de vivre, la générosité, l'expression et l'expansion. Les natifs du Feu s'imposent; ils agissent, sont passionnés et parfois centrés sur eux-mêmes. Ils ont du charisme.

La Terre évoque l'attachement, l'esprit pratique, le réalisme, la prudence, la méthode et la capacité d'être rationnel. Les natifs de la Terre sont parfois calculateurs, mais ils ont des convictions inébranlables.

Le Métal représente la capacité de trancher, l'ambition, l'indépendance et le désir de liberté. Les natifs du Métal peuvent se montrer intransigeants. Ils réussissent bien sur le plan matériel.

L'Eau symbolise la sensibilité, les émotions, les sentiments, la tendresse, la créativité. Les natifs de l'Eau peuvent manquer d'ambition et se sentir vulnérables. Ils sont pourvus d'une très belle imagination et aspirent à l'harmonie.

Le tableau des années lunaires (voir les pages 11 à 14) vous permettra de déterminer votre signe. Comme l'année chinoise est basée sur le cycle de la Lune, elle commence vers la fin du mois de janvier ou au début du mois de février. Ainsi, en 2014, nous serons sous la gouverne du Serpent d'Eau jusqu'au 30 janvier 2014, puis sous celle du Cheval de Bois du 31 janvier 2014 au 18 février 2015.

Vous trouverez, à la page 15, votre ascendant selon l'heure de votre naissance. Ce dernier vient compléter votre personnalité. Si votre signe lunaire et votre ascendant sont identiques, vous doublerez les caractéristiques de votre signe. Supposons, par exemple, que vous soyez du signe de la Chèvre avec un ascendant Singe; votre douce personnalité cachera alors des qualités de stratège. Pour l'année, tenez compte des perspectives générales des deux signes ainsi que de celles de votre élément.

Enfin, à la page 16 apparaît un tableau montrant une année divisée en 24 parties d'une quinzaine de jours. Chaque signe domine à deux reprises durant l'année. Ainsi, pour les natifs du Cheval, les deux périodes très propices de l'année iront du 5 au 20 mai, puis du 23 octobre au 6 novembre.

馬

L'année du Cheval de Bois

Le Cheval de Bois est un être amical, coopératif et innovateur. C'est une force de la nature, un être déterminé au tempérament ardent et combatif. Éloquent et souple, il sait faire sa place en société. Surtout, il ne faut pas le priver de sa liberté: il s'en vengerait. Il est considéré comme un des signes les plus chanceux dans le domaine financier. Son nom chinois, Wu, symbolise la perspicacité et la rapidité. Tout comme le vent, il souffle et va où il le souhaite.

Cette année, nous pourrons nous inspirer des qualités du fier Cheval pour nous affirmer avec une force tranquille. Si votre élément est le Métal, vous serez imprévisible et rebelle, mais vous éviterez tout mauvais pas grâce à vos idées géniales. De l'élément Eau, vous serez curieux, drôle et souple, mais vous changerez souvent d'idée. De l'élément Bois, vous serez aimable, optimiste et innovateur; rien ne vous résistera. De l'élément Terre, vous serez intuitif et imaginatif, sans compter que vous excellerez en affaires. De l'élément Feu, vous serez généreux et instinctif. Votre joie de vivre vous conférera du magnétisme.

Que ce livre vous apporte du plaisir tout en vous donnant l'occasion de vivre une année équilibrée, constructive et heureuse!

Tableau des années lunaires

Trouvez votre signe et votre élément selon votre date et votre année de naissance.

Signe	Élément	Date
Rat	Bois	5 février 1924 au 24 janvier 1925
Buffle	Bois	25 janvier 1925 au 12 février 1926
Tigre	Feu	13 février 1926 au 1er février 1927
Lièvre	Feu	2 février 1927 au 22 janvier 1928
Dragon	Terre	23 janvier 1928 au 9 février 1929
Serpent	Terre	10 février 1929 au 29 janvier 1930
Cheval	Métal	30 janvier 1930 au 16 février 1931
Chèvre	Métal	17 février 1931 au 5 février 1932
Singe	Eau	6 février 1932 au 25 janvier 1933
Coq	Eau	26 janvier 1933 au 13 février 1934
Chien	Bois	14 février 1934 au 3 février 1935
Sanglier	Bois	4 février 1935 au 23 janvier 1936
Rat	Feu	24 janvier 1936 au 10 février 1937
Buffle	Feu	11 février 1937 au 30 janvier 1938
Tigre	Terre	31 janvier 1938 au 18 février 1939
Lièvre	Terre	19 février 1939 au 7 février 1940
Dragon	Métal	8 février 1940 au 26 janvier 1941
Serpent	Métal	27 janvier 1941 au 14 février 1942
Cheval	Eau	15 février 1942 au 24 janvier 1943
Chèvre	Eau	25 janvier 1943 au 24 janvier 1944
Singe	Bois	25 janvier 1944 au 12 février 1945
Coq	Bois	13 février 1945 au 1er février 1946
Chien	Feu	2 février 1946 au 21 janvier 1947
Sanglier	Feu	22 janvier 1947 au 9 février 1948

Tableau des années lunaires *(suite)*

Trouvez votre signe et votre élément selon votre date et votre année de naissance.

Signe	Élément	Date
Rat	Terre	10 février 1948 au 28 janvier 1949
Buffle	Terre	29 janvier 1949 au 16 février 1950
Tigre	Métal	17 février 1950 au 5 février 1951
Lièvre	Métal	6 février 1951 au 26 janvier 1952
Dragon	Eau	27 janvier 1952 au 13 février 1953
Serpent	Eau	14 février 1953 au 2 février 1954
Cheval	Bois	3 février 1954 au 23 janvier 1955
Chèvre	Bois	24 janvier 1955 au 11 février 1956
Singe	Feu	12 février 1956 au 30 janvier 1957
Coq	Feu	31 janvier 1957 au 17 février 1958
Chien	Terre	18 février 1958 au 7 février 1959
Sanglier	Terre	8 février 1959 au 27 janvier 1960
Rat	Métal	28 janvier 1960 au 14 février 1961
Buffle	Métal	15 février 1961 au 4 février 1962
Tigre	Eau	5 février 1962 au 24 janvier 1963
Lièvre	Eau	25 janvier 1963 au 12 février 1964
Dragon	Bois	13 février 1964 au 1er février 1965
Serpent	Bois	2 février 1965 au 20 janvier 1966
Cheval	Feu	21 janvier 1966 au 8 février 1967
Chèvre	Feu	9 février 1967 au 29 janvier 1968
Singe	Terre	30 janvier 1968 au 16 février 1969
Coq	Terre	17 février 1969 au 5 février 1970
Chien	Métal	6 février 1970 au 26 janvier 1971
Sanglier	Métal	27 janvier 1971 au 15 février 1972

Tableau des années lunaires *(suite)*

Trouvez votre signe et votre élément selon votre date et votre année de naissance.

Signe	Élément	Date
Rat	Eau	16 février 1972 au 2 février 1973
Buffle	Eau	3 février 1973 au 22 janvier 1974
Tigre	Bois	23 janvier 1974 au 10 février 1975
Lièvre	Bois	11 février 1975 au 30 janvier 1976
Dragon	Feu	31 janvier 1976 au 17 février 1977
Serpent	Feu	18 février 1977 au 6 février 1978
Cheval	Terre	7 février 1978 au 27 janvier 1979
Chèvre	Terre	28 janvier 1979 au 15 février 1980
Singe	Métal	16 février 1980 au 4 février 1981
Coq	Métal	5 février 1981 au 24 janvier 1982
Chien	Eau	25 janvier 1982 au 12 février 1983
Sanglier	Eau	13 février 1983 au 1er février 1984
Rat	Bois	2 février 1984 au 19 février 1985
Buffle	Bois	20 février 1985 au 8 février 1986
Tigre	Feu	9 février 1986 au 28 janvier 1987
Lièvre	Feu	29 janvier 1987 au 16 février 1988
Dragon	Terre	17 février 1988 au 5 février 1989
Serpent	Terre	6 février 1989 au 26 janvier 1990
Cheval	Métal	27 janvier 1990 au 14 février 1991
Chèvre	Métal	15 février 1991 au 3 février 1992
Singe	Eau	4 février 1992 au 22 janvier 1993
Coq	Eau	23 janvier 1993 au 9 février 1994
Chien	Bois	10 février 1994 au 30 janvier 1995
Sanglier	Bois	31 janvier 1995 au 18 février 1996

Tableau des années lunaires *(suite)*

Trouvez votre signe et votre élément
selon votre date et votre année de naissance.

Signe	Élément	Date
Rat	Feu	19 février 1996 au 6 février 1997
Buffle	Feu	7 février 1997 au 27 janvier 1998
Tigre	Terre	28 janvier 1998 au 15 février 1999
Lièvre	Terre	16 février 1999 au 4 février 2000
Dragon	Métal	5 février 2000 au 23 janvier 2001
Serpent	Métal	24 janvier 2001 au 11 février 2002
Cheval	Eau	12 février 2002 au 31 janvier 2003
Chèvre	Eau	1er février 2003 au 21 janvier 2004
Singe	Bois	22 janvier 2004 au 8 février 2005
Coq	Bois	9 février 2005 au 28 janvier 2006
Chien	Feu	29 janvier 2006 au 17 février 2007
Sanglier	Feu	18 février 2007 au 6 février 2008
Rat	Terre	7 février 2008 au 25 janvier 2009
Buffle	Terre	26 février 2009 au 13 février 2010
Tigre	Métal	14 février 2010 au 2 février 2011
Lièvre	Métal	3 février 2011 au 22 janvier 2012
Dragon	Eau	23 janvier 2012 au 9 février 2013
Serpent	Eau	10 février 2013 au 30 janvier 2014
Cheval	Bois	31 janvier 2014 au 18 février 2015
Chèvre	Bois	19 février 2015 au 7 février 2016
Singe	Feu	8 février 2016 au 27 janvier 2017
Coq	Feu	28 janvier 2017 au 15 février 2018
Chien	Terre	16 février 2018 au 4 février 2019
Sanglier	Terre	5 février 2019 au 24 janvier 2020

Tableau des heures de souveraineté de chacun des signes

Trouvez votre ascendant selon l'heure de votre naissance.

Signe	Heures
Rat	23 h à 1 h
Buffle	1 h à 3 h
Tigre	3 h à 5 h
Lièvre	5 h à 7 h
Dragon	7 h à 9 h
Serpent	9 h à 11 h
Cheval	11 h à 13 h
Chèvre	13 h à 15 h
Singe	15 h à 17 h
Coq	17 h à 19 h
Chien	19 h à 21 h
Sanglier	21 h à 23 h

Les heures spécifiées ici correspondent au fuseau horaire de Greenwich. Visitez le site www.greenwichmeantime.com pour savoir à quelle heure correspond votre heure de naissance.

Ex.: Ajoutez 4 heures à votre heure de naissance si vous êtes né au Québec durant la période de l'heure d'été (de la mi-mars au début du mois de novembre). Ajoutez 5 heures à votre heure de naissance si vous êtes né au Québec durant la période de l'heure normale (du début novembre à la mi-mars).

Soustrayez 2 heures à votre heure de naissance si vous êtes né en France durant la période de l'heure d'été. Soustrayez 1 heure si vous êtes né en France durant la période de l'heure normale.

Les 24 souffles ou périodes propices pour chacun des signes

Jour	Date	Signe
1	4 au 19 février	Rat
2	20 février au 4 mars	Buffle
3	5 au 20 mars	Tigre
4	21 mars au 3 avril	Lièvre
5	4 au 20 avril	Dragon
6	21 avril au 4 mai	Serpent
7	5 au 20 mai	Cheval
8	21 mai au 4 juin	Chèvre
9	5 au 21 juin	Singe
10	22 juin au 5 juillet	Coq
11	6 au 11 juillet	Chien
12	12 juillet au 6 août	Sanglier
13	7 au 21 août	Sanglier
14	22 août au 6 septembre	Chien
15	7 au 22 septembre	Coq
16	23 septembre au 7 octobre	Singe
17	8 au 22 octobre	Chèvre
18	23 octobre au 6 novembre	Cheval
19	7 au 21 novembre	Serpent
20	22 novembre au 5 décembre	Dragon
21	6 au 21 décembre	Lièvre
22	22 décembre au 4 janvier	Tigre
23	5 au 20 janvier	Buffle
24	21 janvier au 3 février	Rat

馬

Le Cheval

Vous êtes élégant, attachant,
charmant et populaire.

Vous appréciez les manières franches
et vous assimilez de multiples connaissances
en un temps record.

En raison de votre indépendance,
on vous voit rarement demander conseil.

***

Cheval de Métal : du 30 janvier 1930 au 16 février 1931

Cheval d'Eau : du 15 février 1942 au 24 janvier 1943

Cheval de Bois : du 3 février 1954 au 23 janvier 1955

Cheval de Feu : du 21 janvier 1966 au 8 février 1967

Cheval de Terre : du 7 février 1978 au 27 janvier 1979

Cheval de Métal : du 27 janvier 1990 au 14 février 1991

Cheval d'Eau : du 12 février 2002 au 31 janvier 2003

Cheval de Bois : du 31 janvier 2014 au 18 février 2015

馬

La personnalité du Cheval

Le natif du Cheval est une force de la nature et un être sociable. Il a un tempérament ardent et combatif. Il aime paraître et être reconnu en société. C'est un être souple et éloquent qui n'apprécie pas du tout être privé de son indépendance. Il adore voyager, il a besoin d'espace et il raffole des changements. Curieux de tout, il apprend en un temps record. C'est aussi un être imprévisible : un jour fougueux, le lendemain, d'un calme stoïque. Il est également charmant, plein d'humour, attirant et intuitif. Il parle beaucoup, mais il n'écoute pas toujours, ce qui peut lui nuire. Enthousiaste, il se fie surtout à son intuition et à son cœur, ce qui d'ailleurs lui réussit bien. Il évalue les situations en un coup d'œil. Par sa franchise et son honnêteté, il inspire confiance à son entourage.

Le Cheval peut sembler ne rien faire, mais ne vous y fiez pas : il observe et se prépare à l'action. Ce n'est certes pas un oisif ! Côté travail, il excelle dans tous les domaines qui demandent d'improviser ; il a la capacité d'œuvrer sur plusieurs fronts à la fois. Il peut aussi fournir un effort très grand sur un très court laps de temps. Il n'aime pas trop attendre et patienter. Il lui faut des résultats ! Dans la routine, il lui arrive de s'ennuyer.

Le Cheval a un fort esprit de compétition. Le succès est un élément primordial de sa vie ; il est important qu'il le vise et l'atteigne car, autrement, il n'a pas l'impression de mener une existence intéressante. Il lui faut battre des records et triompher des obstacles. Bien qu'il soit en quête d'applaudissements et d'approbation, il est capable de reconnaître ses erreurs et de rebrousser chemin lorsqu'il fait fausse route.

Même s'il est affable, il sait être déterminé lorsque sa liberté et sa réussite sont menacées. L'inspiration et la motivation sont ses moteurs. Son imagination le sert bien, elle aussi. Il aime courir des risques calculés, mais il se fatigue vite et peut abandonner un projet au beau milieu de sa réalisation. Il a des dons de chef. S'il doit se déplacer, il sera plus heureux. C'est un bon vendeur et un associé avec lequel on ne s'ennuie pas. Il s'adapte aux changements avec une facilité déconcertante.

Le Cheval est considéré comme un des signes les plus chanceux dans le domaine financier. Il sait nouer des relations utiles, exploiter les situations et courir des risques calculés. Cela dit, il se porte toujours au secours des gens qui ont besoin de lui et partage sa chance et sa fortune avec ses proches.

Le Cheval apprécie tous les types de relations humaines ; il est d'ailleurs très populaire. Les soirées entre amis, les longues conversations, les discussions lui font grand plaisir. On peut se fier à lui pour savoir si une association vaut la peine ou non, car il le sait d'emblée. Avec lui, ne soyez pas louvoyant, il déteste cela. Il a des antennes bien efficaces ! En famille, il est chaleureux, mais il donne une grande valeur à l'autonomie, chez lui-même comme chez les autres.

En amour, le Cheval peut s'emballer rapidement... et perdre intérêt tout aussi vite. Il aime surtout l'intensité. Il ne supporte pas la tiédeur, l'ennui et la monotonie. Il vaut mieux le surprendre, l'amuser et l'étonner si on veut le garder près de soi. Il a besoin d'un quotidien intéressant. Le Cheval n'a pas un tempérament rancunier et après une dispute, il passe rapidement à autre chose. Il se dévoue avec ardeur quand il s'engage, mais cela peut prendre un certain temps. Au fil du temps, il apprend à maîtriser sa fougue. Madame Cheval peut s'attendre à réussir dans les affaires et dans les activités techniques ou artistiques. Elle est particulièrement douée dans la conception. Elle est réticente à faire la moitié du chemin dans des alliances où la seule récompense à espérer est l'affection ou la tendresse, car elle préfère les émotions fortes. Monsieur Cheval ne se conforme pas aux normes : il les invente ! Les natifs du Cheval sont de grands optimistes qui laissent toujours aux autres leur pleine liberté.

Ses rôles

- L'enfant apprend vite. Il est populaire.
- Le parent accorde une grande attention à ses enfants. Il mène sans en avoir l'air.
- L'amoureux est généreux, enthousiaste et spontané. Il aime surprendre. Il s'ennuie facilement.
- L'enseignant est original. Il apprécie le sens de l'initiative et il sort des sentiers battus.
- En affaires, le Cheval est ambitieux et dynamique.
- Le patron est parfait pour ceux qui n'aiment pas trop les patrons : il apprécie les gens autonomes.
- L'ami ou le collègue est optimiste, original, sociable et ouvert.
- L'ennemi aime bien combattre.

Ce qu'il représente

Son nom, *Wu*, symbolise la perspicacité et la rapidité. Les hommes de l'Antiquité comparaient souvent le cheval au vent. En Chine, la monture du dieu du vent était un cheval. En astrologie chinoise, il représente un savant mélange des éléments Feu et Air.

Les éléments

Le Cheval de Métal est indomptable, imprévisible et libre. L'élément Métal fait de lui un grand rebelle. Ce natif se disperse en mille et une activités. Il a des idées géniales qui le tirent des mauvais pas.

Le Cheval d'Eau est curieux, drôle et souple. L'élément Eau le met en relation avec la sensibilité et les émotions. Ce natif est le plus intellectuel des natifs du Cheval. Il change souvent d'idée.

Le Cheval de Bois est aimable, énergique et innovateur. L'élément Bois favorise chez lui l'expansion et l'épanouissement, le bonheur et la générosité. Ce natif a l'art de la conversation. Il est optimiste et créatif.

Le Cheval de Feu est attirant et instinctif, mais il peut être distrait. L'élément Feu lui donne un grand magnétisme. Il lui confère aussi chaleur, générosité et joie de vivre. Il peut être intransigeant.

Le Cheval de Terre est intuitif et imaginatif. L'élément Terre renforce son sens de la réalité et son esprit pratique. Le Cheval de Terre est plus lent et moins vif que les autres natifs de ce signe, mais il est plus décidé. Il excelle dans les finances.

Harmonies et conflits

++ Le Cheval, le Tigre et le Chien sont des signes de protection. Ils prônent la justice pour tous. Ce sont de courageux batailleurs. Le Tigre et le Cheval forment une équipe imbattable, tant en amour qu'au travail. Avec le Chien, la relation est harmonieuse.

+ Le Cheval et la Chèvre se soutiennent. La relation est bonne. Avec le Coq, la relation se bâtit lentement, mais elle est très durable.

– Le Cheval et le Rat ne s'entendent généralement pas. Ils rivalisent !

Prévisions pour le Cheval

Ce qu'un homme pense de lui-même,
voilà ce qui règle ou plutôt indique son destin.

Henry David Thoreau

Du 31 janvier 2014 au 18 février 2015

Voici une année cruciale pour les natifs de votre signe. En effet, vous commencez un cycle de douze ans au cours duquel vous aurez l'occasion de vous connaître mieux, d'exprimer quelques-uns de vos talents et d'évoluer à tel point que vous aurez parfois l'impression de devenir une tout autre personne. Les prochains mois s'axeront précisément sur votre individualité, votre caractère, votre façon d'agir. Vous découvrirez différentes facettes de l'être que vous êtes, et tout dans votre existence prendra une nouvelle couleur, car vous aurez accès à une vision différente des choses.

Vous éprouverez le besoin bien légitime d'être reconnu et saurez faire voir qui vous êtes vraiment. Vous aurez davantage de confiance en vous. Vous réaliserez que tout est question de perspective : quand on croit en soi-même, comme par magie, les autres croient en nous.

Pourtant, cela ne se force pas, il est impératif d'attendre le bon moment. Vous l'avez fait (peut-être sans vous en rendre compte), et voilà qu'en 2014 tout vient à point... Les portes s'ouvrent, il est temps d'entrer. Vous n'aurez qu'à agir selon vos valeurs et ce que vous ressentez profondément, et tout se déroulera en accord avec vos vœux les plus chers et les plus secrets.

Bien sûr, cela ne vous privera pas de travail et d'action. Vous ne pourrez pas paresser en 2014, ce qui est bien d'ailleurs, car vous aurez à la fois de l'énergie physique et psychique ainsi que beaucoup d'enthousiasme. Vous prendrez des risques, mais ils seront calculés ! Vous serez attentif à tout ce qui se passe autour de vous et réfléchirez avant de faire un choix.

Les prochains mois seront également cruciaux du point de vue des rapports qui vous unissent aux autres. Même si vous êtes avant tout centré sur votre évolution intime, vous aurez à cœur d'entretenir des relations sincères avec tous. Ce qui n'a pas de profondeur ne vous attirera pas, vous resserrerez des liens avec certaines personnes (celles avec qui vous avez des affinités) et délaisserez les gens qui n'ont pas les mêmes valeurs que vous. Cela se fera aisément, sans heurt, naturellement.

Vous découvrirez aussi que vous pouvez modifier certaines habitudes plus facilement que vous ne l'avez cru jusqu'à aujourd'hui. Ainsi, si certains comportements ne vous conviennent plus, vous trouverez comment les changer de manière harmonieuse. Le mot « action » sera prépondérant pour vous cette année, et si certaines situations ne vous conviennent plus, vous vous en détournerez tout naturellement. Prenez le temps de respirer par le nez, comme dit l'adage, et vous saurez que vous êtes parfaitement en mesure d'exercer les meilleurs choix.

Si l'on attaque vos droits, vous découvrirez le tigre en vous ! On tente d'abuser de votre gentillesse ? Vous découvrirez le dragon en vous ! On essaie de profiter de vos biens ou de votre temps ? Vous découvrirez l'ours en vous ! Bref, vous n'aurez nul besoin de personne pour vous défendre, vous saurez y voir.

Le temps est venu d'oser aller de l'avant, de faire vos preuves, de démontrer ce dont vous êtes capable. Intérieurement, vous vivrez un bouleversement de vos valeurs. En début d'année, vous pourriez avoir quelques difficultés d'adaptation, mais vous vous rendrez rapidement compte que les prochains mois sont porteurs de chance, de celle qui vous donnera la possibilité de réaliser quelques-uns de vos rêves.

Vos amours

D'abord, vous aurez une attitude responsable et attentive, ce qui fera en sorte de rassurer l'être aimé et de stabiliser vos relations intimes en général. Par ailleurs, vous n'irez que vers les ententes qui vous semblent essentielles et vous pourriez être un peu pointilleux si la personne que vous aimez ne se comporte pas comme vous vous y attendez. Cela est particulièrement vrai en ce qui concerne les jeunes couples. Dans votre ciel des prochains mois, une plus grande confiance en vous (non, non, pas d'arrogance, simplement la certitude d'être quelqu'un qui a de la valeur) servira votre intimité. Quand on doute moins de soi, on devient moins exigeant, plus souple, et cela se solde par des rapports plus agréables avec tous.

L'homme le plus heureux est celui qui fait le bonheur d'un plus grand nombre d'autres.

Diderot

Si vous êtes *célibataire*, vous aurez beaucoup de succès. Vous plairez assurément, vous attirerez les gens, et cela vous contentera. Serez-vous pour autant capable d'entrer dans une relation exclusive ? Oui, certainement, à la condition de bien comprendre que les désirs de la personne que vous convoitez sont tout aussi valables et importants que les vôtres. Si vous savez faire place tant à l'autre qu'à vous-même, si vous visez l'équilibre, eh oui, il y aura de belles possibilités ! Par ailleurs, si vous restez célibataire, cela ne vous rendra pas triste. Vous vivrez des amitiés enrichissantes et des contacts passionnants. En fait, quelle que soit votre situation, cela ne modifiera pas votre humeur, car vous serez profondément indépendant dans les prochains mois. Vous aurez tout de même une détermination très positive pour l'amour et les rapprochements intimes, et si vous faites la rencontre d'une personne qui a des valeurs semblables aux vôtres, la confiance et le partage s'installeront à demeure.

Si vous vivez *en couple*, il faudra espérer que l'être aimé ait le désir de vous laisser beaucoup d'espace et de liberté. Votre caractère s'affirmera au cours des prochains mois. C'est un peu comme si, tous les jours, ça allait être votre anniversaire. Alors, imaginez un peu l'abnégation et la gentillesse que devra avoir la personne qui vous aime pour supporter cela, et même pour s'en réjouir. Je blague à peine : pensez que l'être cher sera heureux que vous soyez là, présent, attentif, tendre, amoureux... Gardez en tête que les prévenances sont précieuses pour l'amour. Par ailleurs, vous serez de bon conseil et aurez beaucoup d'idées toutes plus ingénieuses les unes que les autres. Donc, si votre partenaire vit certains problèmes ou se questionne sur des aspects de sa vie, vous serez certainement en mesure de lui donner des avis intéressants. Vous aurez aussi du talent pour le confort et saurez transformer votre nid familial en un havre de paix, ce qui sera agréable pour les gens avec qui vous vivez.

Cœur atout !

- Vous serez clairvoyant au cours des prochains mois ; ainsi, vous saurez rapidement si une relation est valable ou non.
- La confiance accordée à l'autre, le goût de la découverte et l'ouverture émotionnelle seront vos atouts pour le bonheur à deux.

Vos activités

Vous aurez avantage à vous questionner en janvier concernant vos activités : êtes-vous là où vous le souhaitez ? Agissez-vous toujours au mieux de vos capacités ? Y aurait-il moyen d'améliorer la qualité de vos tâches ? Quelle est la voie qui vous correspondrait davantage ? Quand vous aurez répondu à ces interrogations ou à d'autres qui concernent votre vie quotidienne, vous serez en mesure d'aller dans une direction qui vous convient vraiment.

Vous n'aurez pas du tout tendance à vous éparpiller, et vous approfondirez et exercerez vos talents. Si vos activités nécessitent des capacités de création, ce sera une année à marquer d'une pierre blanche : vous aurez le vent dans les voiles, à la fois une très forte imagination, le désir de faire et de bien faire, et celui de connaître sur le bout des doigts certaines techniques particulières. Si vous êtes du type métro-boulot-dodo, vous vous donnerez le plein droit d'être vous-même et aurez l'occasion de faire des petits changements qui n'ont peut-être l'air de rien, mais qui amélioreront votre qualité et votre rythme de vie. Les personnes ambitieuses parmi les natifs de votre signe seront très occupées cette année ; en effet, c'est un très bon cru pour aller de l'avant, pour que l'on vous remarque, pour oser choisir ce qui vous intéresse vraiment.

Les patrons, les collègues et les associations

Si vous êtes patron, vous dirigerez d'une main ferme cette année et aurez de la difficulté à vous asseoir pour écouter les doléances des gens. Vous êtes entouré de personnes dynamiques ? Cela vous conviendra parfaitement. Autrement, vous ruerez dans les brancards une fois de temps en temps. Essayez de cultiver la patience, même si cela n'est pas toujours simple.

Si vous êtes employé, il vous restera à espérer que vos supérieurs vous laissent une bonne marge de manœuvre. Vous aurez besoin de liberté cette année. À votre compte ? Ce sera idéal pour vous, car vous apprécierez au plus haut point tout ce qui augmente votre autonomie. Par ailleurs, vous vous entendrez plutôt bien avec les collègues, surtout s'ils vous apprécient. Vous serez un élément dynamisant dans votre équipe. Vous observerez tout et verrez à tout.

Il n'est pas certain que ce sera la meilleure année pour vous associer à d'autres, mais rien ne vous empêchera de préparer le terrain si c'est une option qui vous intéresse. En 2015, une bonne étoile vous guidera vers un choix judicieux.

L'argent et les biens

Voilà une bonne année pour vous lancer dans une activité lucrative. Vous aurez la touche en ce qui concerne l'argent : celui-ci pourrait vous tomber tout cuit dans le bec si cela n'a pas déjà été fait au cours des dernières années. Chanceux, va ! S'il n'atterrit pas dans vos mains comme par magie, vous serez tout de même en mesure de gérer vos avoirs de manière à en tirer le meilleur parti. Soyez créatif dans votre attitude, osez faire un choix étonnant, voire un peu risqué, et il en résultera des bénéfices.

C'est également une excellente période pour développer vos capacités de gestionnaire. Cela dit, l'argent n'est pas tout, ne l'oubliez pas. Il est un outil et non pas un but. Si vous lui donnez une juste place (ni trop ni trop peu) dans votre psyché, il vous servira bien et vous serez heureux de recevoir une petite somme en 2015.

Vous pourrez par ailleurs faire quelques dépenses sur un coup de tête (pour un bel objet), car vous n'aurez pas tendance à calculer plus qu'il ne le faut au cours des prochains mois. Si vous voyez que vous perdez le contrôle de vos finances personnelles, disciplinez-vous rapidement, mettez un frein à un comportement toxique. N'hésitez pas non plus à vous informer sur de bonnes façons de gérer vos biens auprès d'une personne qui s'y connaît. Lorsqu'on ose poser des questions, on obtient les renseignements qui nous intéressent. En 2015, une bonne étoile vous guidera vers un choix judicieux.

Une ou deux astuces pour réussir

- Cultivez de bonnes relations avec les gens, mais ne perdez pas votre énergie avec ceux qui dévorent votre temps ; cela vous désolerait.
- Visez loin, cessez de voir petitement. Vous êtes formidable, c'est une période pour en prendre conscience. Sans arrogance ni prétention exagérée, évidemment !

La forme, la santé et les loisirs

Cette année, vous serez bien dans votre peau si vous vivez dans un milieu harmonieux, tandis que vous serez nerveux si le climat est tendu. Comme il est impossible de s'assurer de toujours se trouver dans une ambiance calme, vous pourriez opter pour des activités de relaxation. Vous aurez du plaisir à vous faire masser, à pratiquer une forme de méditation. Le yoga, le tai-chi ou toute autre discipline qui favorise la paix intérieure vous serait également bénéfique. Le golf, le tennis, la marche, la natation feront aussi l'affaire si c'est cela que vous préférez. En réalité, une seule chose compte lorsque vient le temps de choisir un sport ou un exercice : qu'il vous intéresse vivement, que vous ayez le désir d'y revenir, de recommencer, de vous appliquer et de vous améliorer. Il est certain qu'une pratique physique régulière requiert des sacrifices, car nous, les humains, aimons bien paresser. Mais si vous appréciez une activité, le plaisir surpassera l'effort exigé.

Bien que plaisante, l'année présente des aspects de tensions que vous pourrez contrer de diverses manières. À retenir : une bonne santé est toujours un gage de bien-être intérieur et de force pour faire face aux aléas de la vie. Et une bonne année se cultive par un juste équilibre entre action et repos.

L'amitié

Du côté des amitiés, cette année pourrait simplement se situer dans la continuité des années passées. Vous aurez une attitude responsable dans vos relations. Vous privilégierez les proches, mais vous ferez peut-être aussi la connaissance de personnes avec qui vous pourriez vous lier. En particulier, des gens qui normalement ne vous correspondent pas, qui sont par exemple loin de votre milieu naturel, pourraient vous être particulièrement sympathiques. Vous aurez un certain désir de briller et vous apprécierez surtout les amis qui sont prêts à reconnaître vos talents. Vous pourriez également découvrir un nouveau cercle et pourrez faire des rencontres intéressantes par le biais d'un loisir ou d'un travail. Vous éprouverez du plaisir à agir plus qu'à converser.

La famille

Du point de vue de la famille, votre année se situe dans la continuité de l'an passé. Vous éprouverez peut-être le besoin de vous affirmer davantage et, si c'est le cas, cela pourrait causer quelques remous. En comprenant et en expliquant que les rôles se modifient parfois quelque peu, vous faciliterez la vie de tout le monde autour de vous, ainsi que la vôtre. C'est de cette façon que des conflits fondront comme neige au soleil. Des proches pourraient également se confier à vous, car vous brillerez de tous vos feux, ce qui donne souvent le goût aux gens de se joindre à vous. Cela dit, un membre de la famille pourrait trouver difficile de vous sentir un peu différent de ce que vous étiez l'an dernier. Chaque fois que l'on change intérieurement, les proches sont quelque peu touchés.

Ce qu'on aimera de vous cette année

On aimera votre capacité de vous exprimer, votre sens de la liberté, votre générosité, votre ouverture aux autres. Vous aurez le vent dans les voiles, et les gens autour de vous en bénéficieront. L'exemple du bonheur est contagieux. Belle contagion!

Trois défis

- Savoir être soi sans prendre toute la place.
- Agir sans s'éparpiller, en se concentrant, en s'appliquant.
- Mener les projets à terme, quitte à travailler un peu plus fort, tout en se souvenant, tout de même, qu'il est tout à fait correct d'abandonner ce qui ne fonctionne pas.

L'année selon votre élément

Cheval de Métal

Vous serez rationnel cette année, et vous aurez parfois l'impression d'évoluer dans un monde quelque peu désordonné. Votre sens de l'adaptation vous sera d'une grande aide, et vous trouverez à l'exercer beaucoup. Votre goût pour la liberté ne se démentira pas, vous aimerez bien dire tout haut ce que d'autres pensent tout bas. Avec les proches, les liens seront très précieux et certaines personnes parmi vous pourraient faire une rencontre déterminante. Regardez autour de vous et ouvrez votre cœur. Par ailleurs, votre enthousiasme naturel sera puissant, et tout projet qui vous passionne pourra se réaliser grâce à votre faculté de faire un pied de nez aux obstacles.

Cheval d'Eau

Vous vivrez parfois des moments d'indifférence au cours des prochains mois, mais il s'agira en réalité d'une habileté à prendre vos distances avec ce qui se passe autour de vous. L'ambiance sera bonne aussi, et vous l'apprécierez. Apprenez quelque chose de nouveau. Exercez votre intelligence, cela vous rendra heureux. Dans vos relations intimes et personnelles, tout ira bien: vous serez à la fois sociable, capable d'une grande écoute et d'une ouverture aux autres. Si vous voyagez, vous serez curieux de tout. Soyez attentif à votre corps: donnez-lui les vitamines et les soins nécessaires pour que la santé et l'énergie vous accompagnent tous les jours.

Cheval de Bois

C'est un grand tournant pour les natifs de votre signe: un des plus grands qui puissent survenir. Vous verrez qu'en fin de compte vieillir n'est pas si désagréable; on y trouve toutes sortes de bénéfices et on est heureux de l'expérience acquise. Celle-ci vous servira d'ailleurs beaucoup au cours des prochains mois: vous serez la personne qui renseigne, celle dont on reconnaît les mérites, celle à qui l'on se fie dès qu'un problème fait surface. Vous serez particulièrement zen cette année, alors profitez bien de cet état d'esprit pour faire des choix pour le futur. Tout ira comme vous le souhaitez. Seule obligation: définir précisément votre but, vos désirs et prendre la route. Allez tranquillement...

Cheval de Feu

Vous aurez le vent dans les voiles: tout nouveau (ou même ancien) projet se réalisera presque exactement comme vous l'aviez prévu. Votre sens de l'organisation ne se démentira pas. Vous êtes parfois distrait, mais de moins en moins avec le temps. Votre habileté naturelle pour attirer les gens sera plus forte que jamais au cours des prochains mois, et si vos activités requièrent des capacités de paraître, eh bien, vous brillerez. Cela dit, restez calme, ne vous laissez pas étourdir par les compliments et centrez-vous davantage sur les personnes que vous côtoyez que sur vous-même, c'est ainsi que tout ira bien. Du côté des émotions, qu'il s'agisse des amitiés, de votre vie amoureuse ou de la famille, vous serez aimant cette année. Vous prendrez conscience de l'importance des sentiments qui nous lient aux autres, et vous vivrez du bon temps en compagnie de ceux que vous aimez.

Cheval de Terre

Réaliste, vous ne prendrez pas des vessies pour des lanternes, comme le dit l'expression; en d'autres mots, vous ne vous ferez pas d'illusions, et vous aurez raison. Vous serez assez sérieux et pourriez évoluer beaucoup dans votre milieu; il est probable qu'on reconnaisse vos aptitudes, vos capacités et que l'on s'inspire de vos connaissances. En famille, vous pourriez être très occupé, mais si vous avez des enfants, c'est d'eux que viendra votre plus grand bonheur. Tâchez également d'exercer tous vos talents d'organisation, vous aurez ainsi plus de temps pour vous détendre en compagnie de vos proches.

Au fil des mois

En *janvier*, vous devrez montrer patte blanche à quelques reprises pour atteindre un but que vous vous êtes fixé. Avec l'être aimé en particulier, il vaudra mieux mettre les petits plats dans les grands si vous souhaitez le rendre heureux. Vous aurez l'esprit ouvert à la nouveauté et le cœur vaillant. Si les gens autour de vous sont trop calmes et lents, vous leur insufflerez le goût de l'action tant vous aurez de l'énergie. Dans vos activités, vous serez tenté par un nouveau défi, qui serait davantage dans vos cordes. Vous apprécierez aussi qu'on reconnaisse vos qualités; si ce n'est pas le cas, vous pourriez vous éloigner. Vous serez en grande forme physique, mais n'oubliez pas de faire du sport, car c'est cela qui vous donnera une réelle bonne humeur. Des gains sont probables.

En *février*, vous aurez la touche pour régler toute question concernant vos finances personnelles. Vous saurez faire valoir vos capacités en la matière. Côté cœur, le mois s'annonce intéressant à plus d'un titre. D'une part, vous serez tenté par les doux plaisirs; d'autre part, vous aurez le cœur grand et un profond désir de donner du bonheur à l'être aimé. Vous aurez également une attirance pour ce qui est mystérieux dans les prochaines semaines. Rapprochez-vous de gens avec qui vous partagez des goûts communs. Si vous êtes en période d'apprentissage, vous serez habile et vif, et vous absorberez beaucoup d'informations. Vous serez également ouvert sur le monde en cette période, et ce qui se passe à l'étranger pourrait retenir votre attention. De même, si vous connaissez des gens qui vivent à l'étranger, vous auriez du plaisir à les contacter.

Vous serez peut-être un peu réservé ou fatigué en ce début de *mars*. Prenez un peu de temps pour vous reposer, pour vous détendre et pour vous adonner à des activités qui vous plaisent. Ce sera aussi le moment de travailler en coulisses, de dresser un court bilan et d'élaborer des plans d'avenir. La vie de famille sera active, ce qui en réalité vous détendra. Côté cœur, vous serez d'humeur tendre avec l'être aimé: vous vivrez de bons moments. S'il y a des aspects de votre vie qui vous satisfont moins, ne ruez pas dans les brancards, prenez le temps d'y songer, les solutions viendront en temps et lieu. En accordant votre attention à un secteur de votre vie qui semble moins bien aller, vous corrigerez la situation assez facilement.

Au mois d'*avril*, vous serez en forme, rien ne vous semblera impossible. Vous aurez aussi le soutien des gens de votre entourage: on sera à l'écoute de ce que vous pensez, on cherchera à vous satisfaire. Malgré un dynamisme étonnant, vous serez plutôt casanier et pourriez même apporter quelques changements qui vous rendraient plus à l'aise encore à la maison. Des idées intéressantes par rapport à votre avenir pourraient vous être données par un ami. Vous aurez l'esprit pionnier en ce mois d'avril et, quelles que soient vos activités, vous aboutirez à de bons résultats tant votre curiosité et votre dynamisme seront remarquables. Vous saurez réunir des gens vers un seul objectif.

Vous aurez de l'humour et de l'esprit en ce début du mois de *mai*. Vous ferez rire les gens et leur montrerez le beau côté des choses. Vous aurez également un grand besoin de communiquer. Pour cultiver le calme, faites de la méditation ou toute autre activité douce qui détend. Dans vos activités, vous aurez un peu moins de concentration que ces derniers mois. En matière d'argent, ce sera une période propice. Demandez conseil à un spécialiste, si nécessaire. Pour tout achat, pour tout gain, vous serez véritablement favorisé. Intérieurement, vous pourriez être légèrement secret et peu enclin à vous confier ; pourtant, ce serait tellement libérateur. Vous aurez tout de même le cœur sur la main et offrirez votre aide à celui qui en aura besoin.

Juin sera faste pour les loisirs et les rencontres amicales. Aussi, apprenez quelque chose et vous serez de bonne humeur en cette période. Si vous vous contentez de la routine quotidienne, vous vous renfrognerez. Il vous faudra également relever un nouveau défi ou amorcer un nouveau projet pour éviter de vous ennuyer. Il est important que vous vous démarquiez des autres, que vous preniez vraiment votre vie en main et que vous fassiez des activités qui vous rendront satisfait de vous. C'est votre année : gardez cela en tête. Ce mois-ci, n'hésitez pas à partir quelques jours ou à préparer un court voyage dans les prochaines semaines : tout dépaysement vous ressourcera.

Vous aurez, en *juillet*, beaucoup d'énergie physique. Vous serez d'autant plus en forme que vous vous adonnerez à vos sports favoris. Marchez le plus possible et nagez si vous en avez la possibilité. Vous serez enthousiaste en ce qui a trait à vos relations intimes et amicales. Optimiste, vous ferez en sorte de faire voir le côté positif des choses aux personnes de votre entourage. La famille vous rendra de bonne humeur en cette période. Prenez le temps de faire des activités avec vos proches, vous en retirerez de grands plaisirs. Côté cœur, vous pourriez, à quelques reprises durant les prochaines semaines, réagir un peu nerveusement. Cela dit, vous aurez au jour le jour des communications faciles avec la personne aimée.

En *août*, il vaudra mieux aller dans le sens de la réalisation de vos ambitions, sinon vous aurez la sensation de tourner en rond. Si vous avez un ou des projets en route, travaillez-y, vous avancerez dans le sens voulu. Vous apprécierez l'estime des gens qui vous entourent. Côté cœur, vous vous exprimerez ouvertement et plaisamment, ce qui facilitera tout et rendra la vie agréable. Vous aurez aussi le cœur joueur en cette période, et il vaudra mieux vous garder de prendre des risques exagérés. En matière d'argent, votre situation sera tout de même stable. Si vous êtes en vacances, profitez d'un peu de temps libre pour préciser ce que vous aimeriez vivre au cours des prochains mois : vous aurez l'esprit clair et de bonnes intuitions.

Vous aurez peut-être l'esprit un peu routinier en *septembre*, mais on pourra certainement compter sur votre sens des responsabilités. Si l'on vous confie un projet, on sait que vous le mènerez à terme. Il n'y a pas de paresse dans votre ciel des prochains mois. Pour toute décision personnelle que vous auriez à prendre, fiez-vous à votre intuition, elle sera bonne. Côté cœur, vous parlerez avec sincérité de ce que vous ressentez, ce qui rassurera certainement l'être aimé et vos proches. Ce sera en réalité une période de paix du cœur. Aux jeux de hasard, la chance pourrait être à vos côtés.

En *octobre*, vous aurez probablement avantage à vous consacrer à l'acquisition de biens parce que vous pourrez vivre un beau succès. Vous dépenserez peut-être beaucoup, mais vos gains seront certainement supérieurs. Côté cœur, vous vous exprimerez avec passion et sensualité en cette saison. Vous aurez aussi une grande détermination et une volonté puissante, ce qui vous permettra de faire des avancées dans vos activités. Un projet qui a débuté en septembre aura toutes les chances d'évoluer de la meilleure façon. Vous aurez également la chance de signer un ou des contrats. Quelle énergie positive : vous trouverez facilement une solution à tout problème !

Novembre sera également un mois pour trouver une solution à tout problème ; profitez-en donc pour vous intéresser à toute question qui vous tarabuste quelque peu. Vous vous distinguerez par votre bon sens et votre clairvoyance. En matière d'argent, si vous n'êtes pas très économe de nature, vous pourriez commencer à changer. Dans le cas contraire, vous noterez que cela a des résultats tangibles. Côté cœur, vous serez passionné en ce mois et aurez de grands besoins physiques. Émotivement, moins vous aurez d'attentes, mieux tout ira. Votre vivacité intellectuelle peu commune sera remarquée, et votre compréhension des faits enrichira votre existence. Il est possible que vous soyez tenté par un voyage. Pensez-y.

Décembre terminera l'année sur une note positive. Vivacité d'esprit, curiosité du cœur, intérêt pour les apprentissages, amour de l'étranger, sens des affaires : voilà quelques-unes de vos caractéristiques en cette fin d'année. Vous continuerez de déployer une énergie positive du côté de vos relations intimes et familiales. Avec les enfants, si vous en avez, vous saurez leur donner le temps, l'amour et la compréhension nécessaires à leur bonheur. Vous avez découvert en vous-même un talent particulier au cours des derniers mois ? Si c'est le cas, allez-y, continuez... vous verrez que cela aura peut-être de l'avenir ! Côté cœur, vous terminerez 2014 sur une note chaleureuse. Les célibataires prendront très au sérieux toute rencontre... Pour les fêtes de fin d'année, vous serez sociable à souhait et réaliserez que vous vous sentez intérieurement plus libre d'être vous-même. Vous irez tranquillement vers le futur.

La Chèvre

Vous êtes tendre et joyeuse.

Votre imagination est féconde, votre personnalité est accommodante, ce qui vous assure une vie heureuse.

***

Chèvre de Métal : du 17 février 1931 au 5 février 1932

Chèvre d'Eau : du 25 janvier 1943 au 24 janvier 1944

Chèvre de Bois : du 24 janvier 1955 au 11 février 1956

Chèvre de Feu : du 9 février 1967 au 29 janvier 1968

Chèvre de Terre : du 28 janvier 1979 au 15 février 1980

Chèvre de Métal : du 15 février 1991 au 3 février 1992

Chèvre d'Eau : du 1er février 2003 au 21 janvier 2004

Chèvre de Bois : du 19 février 2015 au 7 février 2016

La personnalité de la Chèvre

La Chèvre est reconnue pour ses capacités de conciliation et son attitude accommodante dans les temps difficiles. Quand tout va mal, elle garde le cap, conserve le sourire et réconforte ses proches. Mais ne vous y trompez pas: la Chèvre perçoit quand même la réalité telle qu'elle est. Elle est lucide: vous l'entendrez faire un commentaire moqueur ou une remarque juste, et vous comprendrez qu'elle voit clair.

On dit aussi que la Chèvre aime les paradoxes; elle est à la fois aimante et distante, à la fois paresseuse et entreprenante. Elle peut avoir tendance à remettre à demain ce qui peut être fait aujourd'hui si le beau temps l'appelle. Elle peut également devenir difficile quand elle n'obtient pas ce qu'elle désire: chèvre se dit *capra* en latin, et de ce mot nous vient le terme «capricieux», ne l'oublions pas! La constance n'est donc pas sa force. Et si sa propension à changer d'idée n'est pas limitée par son entourage, cela peut lui causer quelques déboires. Cela dit, la Chèvre s'adapte bien aux changements, ce qui lui confère une force peu commune. Parce qu'elle peut vivre n'importe où, elle possède une grande force intérieure. En outre, comme elle est généralement polie, elle apprécie les gens qui ont du décorum. Étant sujet au stress, il est important que ce natif se réserve toujours des moments de calme et des lieux de ressourcement.

Pour ce qui est du travail, la Chèvre est la créatrice du zodiaque chinois. Il vaut mieux d'ailleurs qu'elle ne choisisse pas une carrière trop rigide ou qui la priverait d'expression. Elle est nettement plus heureuse dans un milieu créatif.

Peu de routine et le moins possible de règles et d'horaires rigides pour ce natif, car il s'en accommode difficilement. Cela dit, il travaille bien en équipe, faisant aisément des compromis. On considère qu'il fait un excellent partenaire, car il sait tenir compte de l'être aimé. La Chèvre peut malgré tout rejeter le blâme sur autrui quand ça ne va pas comme elle le souhaite. Elle a également besoin de diversité et d'un environnement stimulant, ayant à la fois plusieurs intérêts et plusieurs talents. En raison de son attirance pour la liberté, elle est plus à l'aise en tant que patron que comme subalterne. C'est une entêtée qui parvient à ses fins. Ce qui ne lui convient vraiment pas ? Prendre des décisions sous la pression des circonstances.

En matière d'argent, aussi longtemps que la vie lui offre ce dont elle a besoin, tout se passe bien et elle n'est pas exigeante. Mais si son style de vie ou sa source de revenus sont menacés, elle ne négligera aucun moyen pour s'en sortir ! Généreuse, elle pense d'abord aux gens qui ont besoin d'elle, et ensuite à elle-même. Elle aime pourtant bien les petits luxes de la vie et elle n'aura probablement pas à s'en priver car c'est un signe d'abondance.

Dans ses affections, la Chèvre est très sensible aux autres. Elle privilégie les rapports intimes et les valeurs familiales, de sorte qu'elle restera très attachée à sa famille. Elle aime recevoir ; on dit même que sa porte est toujours ouverte. Si vous êtes proche d'une Chèvre, vous pourrez toujours compter sur elle en cas de besoin ; c'est un être bon qui sait écouter, proposer et négocier.

La Chèvre voit mieux par les yeux de l'être aimé que par les siens propres. Elle ne craint pas la dépendance et elle se plaît généralement en couple. Elle préférera toujours un compagnon ou une compagne qui possède une bonne confiance en soi. Vous aimez une Chèvre ? Sachez que la sécurité est importante dans sa vie. Sa propension à se fier à l'autre la rassure et la protège. Si on s'occupe bien d'une personne de ce signe et qu'elle mène une vie agréable, elle restera tranquillement là et ne tirera pas sur sa corde, ou ne tentera pas de tout vouloir explorer comme la chèvre de monsieur Seguin. Madame Chèvre est une ensorceleuse. Elle aime la vie et embellit tout autour d'elle. Monsieur Chèvre n'a pas toujours l'esprit pratique, mais il rend tout merveilleux autour de lui. La vie est une grande fête, il vous le prouvera. Ces deux-là sont des artistes !

Ses rôles

- L'enfant a besoin d'attention. La Chèvre est en sécurité en famille.
- Le parent gâte ses enfants.
- L'amoureux est sensible, protecteur et adore être protégé. Il se transforme pour être aimé.
- L'ami ou le collègue est sincère et généreux.
- En affaires, la Chèvre a un bon flair: elle semble savoir d'avance ce qui est voué à l'échec ou à la réussite.
- Le patron n'est pas un dominateur. Il s'occupe de sa popularité.
- L'enseignant est compréhensif et patient, mais il sait établir ses limites.
- L'ennemi n'est pas objectif. Pour vaincre, il se plaint et fait appel à ses relations.

Ce qu'elle représente

Une légende chinoise raconte qu'un jour, cinq anges quittèrent le ciel chevauchant des chèvres; ces dernières avaient en leur gueule cinq céréales, soit l'avoine, le blé, l'orge, le millet et le riz. Elles semèrent les céréales et devinrent reconnues comme les pourvoyeuses de semences produisant les fruits de la terre. C'est un signe d'abondance.

Les éléments

La Chèvre de Métal est sûre d'elle. Elle établit une harmonie rationnelle et affective dans sa vie. Elle s'épanouit si elle a une certaine sécurité économique et affective.

La Chèvre d'Eau est charmante, intuitive et elle sait s'entourer. L'élément Eau est en relation avec la sensibilité et les émotions, ce qui peut rendre la Chèvre pessimiste. Elle a une grande sensibilité artistique.

La Chèvre de Bois est tendre et généreuse. Elle a le cœur sur la main. Les natifs de l'élément Bois se caractérisent par une vitalité équilibrée et par leur chance. Cette Chèvre adore littéralement sa famille et ses enfants.

La Chèvre de Feu se laisse facilement tenter et émouvoir. L'élément Feu lui confère chaleur, générosité, joie de vivre et courage. C'est la plus novatrice des Chèvre.

La Chèvre de Terre est serviable, rationnelle et indépendante. L'élément Terre renforce son sens de la réalité et son esprit pratique. Le natif est possessif, prudent et constant. Il est moins dépensier que les autres natifs de la Chèvre.

Harmonies et conflits

++ La Chèvre s'entend très bien avec le Sanglier et le Lièvre. Tous trois intuitifs, habiles et doués pour la collaboration, ils forment une équipe du tonnerre. Ils peuvent pourtant transmettre des vibrations très négatives dans les situations qui les déstabilisent. La Chèvre et le Sanglier s'entendent à merveille au travail, mais ils dépensent parfois trop ensemble. La Chèvre et le Lièvre sont assurés de connaître bonheur et succès ensemble.

\+ La Chèvre et le Serpent s'entendent... à condition d'avoir les mêmes intérêts. Ils doivent choisir les lieux et les circonstances de leur collaboration. La Chèvre est également à l'aise avec le Cheval. Ils s'attirent et créent des liens profonds et durables.

– La Chèvre et le Buffle devraient s'éviter, à moins d'avoir des ascendants qui s'entendent.

羊

Prévisions pour la Chèvre

Et garde tes rêves [...]. Tu ne peux jamais savoir à quel moment tu en auras besoin.

Carlos Ruiz Zafón

Du 31 janvier 2014 au 18 février 2015

Cette année, vous terminerez un long cycle ; préparez-vous à vivre un nouveau tour de piste. Dans tous les domaines, prenez le temps de voir où vous en êtes et d'évaluer ce que vous aimeriez réaliser au cours des prochaines années. Oui, vous pourrez apporter des changements importants, et il serait même bon de ne pas vous en priver. Que ce soit du côté de l'intimité, de vos activités, de votre emploi ou de votre santé, réfléchissez, dressez le bilan de votre situation, et vous pourrez ensuite faire les meilleurs choix pour votre avenir. Surtout, ne bousculez rien. Ce sera une année durant laquelle vous aurez avantage à avancer... lentement. On court, on court, mais où va-t-on, au juste ? Si vous vous arrêtez à cette question, vous opterez pour un ralentissement, et ce sera pour le mieux.

Vous souhaiterez davantage donner de votre temps aux autres, et le bénévolat ou des activités reliées au communautaire pourraient vous attirer. Par ailleurs, vous ressentirez un peu plus certaines limites. Dans tous les aspects de votre vie, les contraintes vous apparaîtront clairement et vous pourriez avoir un peu de difficulté à vous adapter à certaines situations. En effet, vous serez peut-être moins optimiste que vous ne l'êtes naturellement, ce qui pourrait modifier votre vision des choses. Cela dit, vous aurez de grandes capacités de réflexion et serez capable de procéder aux changements que vous souhaitez.

Cette année, vous ne vous fierez pas aux autres pour mener votre barque. Vous les écouterez, vous entendrez ce qu'ils disent, mais vous aurez une attitude plutôt indépendante et comprendrez clairement que vous êtes seul à marcher dans vos souliers et que, par conséquent, vous êtes apte à juger par vous-même de ce que vous désirez et de ce qui vous convient.

Vous aurez parfois le désir de vous évader du quotidien et pourrez certainement trouver des façons de vous ressourcer dans un environnement différent. N'hésitez pas à vous éloigner de vos repères habituels. Tout lieu nouveau élargira votre horizon mental et toute nouvelle rencontre de personnes qui n'appartiennent pas à votre cercle habituel vous fera voyager par le cœur.

L'année se présente comme un long processus de *cocooning* et de naissance. Imaginez une chenille dans son cocon qui se prépare à devenir un papillon, eh bien, ce sera vous !

Vos amours

Vous aurez le cœur secret au début de l'année qui vient. Vous ne serez pas triste, mais plutôt sur le mode de la réflexion et vous découvrirez une facette de vous-même qui est plutôt réservée. Les gens qui vous aiment vous offriront toutes sortes de petits plaisirs pour vous dérider. Je blague à peine. Disons que vous ne vous laisserez pas charmer par le premier venu. Par ailleurs, si votre vie sentimentale est stable, vous aurez l'art de cultiver un quotidien agréable avec l'être aimé ou avec les gens que vous aimez si vous ne vivez pas en couple. Tout ce qui relève de l'intimité vous réconfortera, et vous prendrez soin de tous.

Il y a des confidences dans votre ciel des prochains mois ; soit on se confiera à vous, soit vous parlerez un peu plus de ce que vous ressentez profondément. Sachez aussi que vous pourriez avoir tendance à perdre certaines illusions et à vous trouver devant une réalité qui, de prime abord, pourrait vous irriter. En prenant le temps de bien vous détendre et d'aimer sans calcul, vous verrez que vos sentiments pourront s'exprimer librement et, surtout, être accueillis par l'être cher et les gens que vous aimez.

En amour, les mendiants et les rois sont égaux.

Proverbe indien

Si vous êtes *célibataire* et que vous souhaitez en changer, vous pourriez faire une rencontre par exemple dans un établissement scolaire, dans un hôpital ou dans un autre lieu où se trouvent réunies plusieurs personnes. De toute façon, vous n'aurez pas tendance à vous éparpiller et ne multiplierez pas les rencontres. Vous serez d'une loyauté à toute épreuve cette année, et vous direz ce que vous pensez même si vous le faites avec délicatesse. Si vous préférez rester célibataire, votre amour pour les autres s'exprimera par la compassion et le don de soi. Vous dépenserez beaucoup d'énergie à prendre soin des gens que vous chérissez. Cela dit, il vaudrait mieux ne pas laisser tomber pour de bon la possibilité d'aimer et d'être aimé, car vous avez naturellement beaucoup d'amour à donner.

En couple, même si 2014 est somme toute sous le signe de la réflexion, de la tranquillité et du calme, rien ne vous empêchera d'exprimer vos sentiments à l'être cher. Vous serez à l'aise à la maison et dans l'intimité. Vous trouverez toutes sortes de façons d'agrémenter le quotidien. Si vous voyagez avec l'être aimé, vous voudrez découvrir ensemble des lieux inusités. Ce qui est inhabituel vous stimulera. Vous aurez aussi de longues conversations sur ce que vous pensez respectivement de la vie, de l'amour, de la politique, de l'éducation, de l'argent, de tout, quoi! Vous préférerez qu'il n'y ait pas trop d'activités et de brouhaha dans votre environnement. Privilégiez les activités à deux dans la nature, vous y prendrez plaisir. Si l'être aimé ou vous avez un problème de santé, vous saurez prendre soin l'un de l'autre. Vous viendrez à bout de toute opposition en vous mettant à la place de l'être cher : vous verrez que chacun a sa façon de voir qui mérite le respect.

Cœur atout !

- Le temps et la réflexion seront vos alliés vers le bonheur.
- Votre générosité du cœur s'exprimera par des petits gestes simples et pleins d'amour.

Vos activités

Durant les mois qui viennent, vous serez à cheval entre la fin d'un cycle et le début d'un autre : vous pourriez terminer un projet dans un domaine et vous initier à un nouveau secteur, ou encore changer carrément de statut en faisant d'un loisir une activité plus quotidienne ou même rémunératrice. Vous serez énergique et prêt à donner le meilleur de vous-même afin que vos projets se réalisent ; la ténacité dont vous savez généralement faire preuve sera plus que jamais nécessaire. Soyez confiant, votre zèle ne fera pas défaut.

Malgré tout, vous ne tirerez peut-être pas tous les bénéfices mérités car, par rapport à ce que vous donnerez, vous récolterez relativement peu dans l'immédiat. Soyez patient, et pensez que ce que l'on sème prend parfois du temps à pousser ! Ne vous pressez pas trop, appliquez-vous simplement et vous verrez que des résultats tangibles suivront.

Vous vous affirmerez avec confiance et ferez preuve d'une maturité remarquable. Que vous soyez à la retraite ou dans une période intense de travail, vous serez créatif, et cette capacité saura vous servir grandement. Proposez des idées nouvelles, faites valoir un point de vue peu usité, osez aller de l'avant, ne craignez pas d'être exagérément original, et vous verrez que cela aura une bonne incidence sur vos activités. Dès l'automne prochain, vos idées trouveront preneur.

Dernier point à ne pas négliger : pour continuer de croire en ce que vous faites, visez l'équilibre. Après des efforts fournis viennent des moments de repos ; autrement dit, délassez-vous régulièrement et vous aurez ainsi plus d'énergie à donner ensuite. Malgré les hauts et les bas bien naturels de la vie, vous continuerez de bénéficier de chance au cours de l'année. Vos idées trouveront preneur, vos actions seront récompensées, votre imagination vous aidera à faire les meilleurs choix pour votre futur.

Les patrons, les collègues et les associations

Patron ? Vous saurez inspirer les gens sous votre responsabilité, mais ce ne sera pas vraiment votre plus grande joie de devoir les diriger s'ils ne sont pas eux-mêmes responsables. Autrement dit, vous aurez avantage à vous entourer (ou à être entouré) de gens qui savent être autonomes. Avec votre patron, cultivez le calme intérieur avant de dire ce que vous pensez. Moins sociable que dans les dernières années, vous pourriez sauter aux conclusions si un supérieur faisait preuve de peu de bon sens. Restez calme et réfléchissez avant d'agir. Rien ne vous empêchera d'avancer, même si ce sera peut-être un peu plus long que prévu.

Vous aurez de bons rapports avec les collègues, mais vous devrez vous éloigner autant que possible de gens peu débrouillards, dépendants ou, pire, malhonnêtes.

C'est une année moyennement bonne du côté des associations. Vous saurez vous entendre avec les gens que vous connaissez depuis longtemps, mais les nouvelles associations pourraient vous donner du fil à retordre. Vous préférerez servir plutôt que de briller durant les prochains mois, et toute tâche que vous accomplirez dans l'ombre sera mieux réussie.

L'argent et les biens

Certains d'entre vous changeront de domaine d'activité, ce qui aura une incidence sur leurs gains. Quoi qu'il en soit, l'argent ne sera pas votre grande préoccupation cette année. Vous aurez l'impression d'en avoir assez ; gérez-le simplement avec suffisamment de sagesse. Sachez que vous serez passablement énergique et que vous serez en mesure d'atteindre vos objectifs. Si l'on vous offre de nouvelles responsabilités, considérez-en les aspects financiers avec attention avant d'accepter. Vous êtes guidé par de bonnes intuitions en matière d'argent, continuez de vous y fier. Les prévisions sont optimistes.

Une ou deux astuces pour réussir

- Vous aurez peut-être tendance à vous inquiéter pour le futur : chassez toute tentation de vous laisser bercer par l'anxiété. Surtout en ce qui concerne vos gains, cela ne donnerait absolument rien.
- Des dettes à payer ? Si vous en avez, remboursez-les : vous serez content des pas que vous ferez.

La forme, la santé et les loisirs

Si vous ne vous sentez pas au mieux de votre forme en début d'année, il serait temps d'y voir. Pour cela, il faut une certaine discipline. L'avantage est que vous n'en serez pas dépourvu. Vous aurez aussi un fort désir d'atteindre les buts que vous vous fixerez, ce qui aura une bonne incidence sur votre manière d'agir. Avez-vous remarqué que nous vivons parfois des années de paresse ou de laisser-aller, et que d'autres fois nous devenons plus volontaires ? Eh bien, tout un chacun vit différents cycles ; quant à vous, vous traversez une période durant laquelle votre volonté sera forte. Alors, profitez-en donc pour agir là où vous le pouvez.

Votre santé devrait être bonne ; faites quand même place à l'exercice physique, au sport et à des activités plus tranquilles comme la méditation ou la lecture. Équilibrez votre vie : pensez à ce que vous aimez faire, et mettez-vous-y. Si vous avez un problème spécifique, par exemple une dépendance ou un problème psychologique, ce serait le moment d'aller voir en vous-même de quoi il retourne. On dit de la période que vous allez traverser qu'elle est karmique ; en d'autres mots, de vieux souvenirs pourraient refaire surface. Accueillez-les, et si vous sentez que de l'aide vous serait utile, n'hésitez pas à aller la chercher.

Si vous éprouvez le besoin d'explorer quelque chose de neuf, essayez un art martial, le canot, la natation, la méditation ou la danse. Vous souhaitez voyager cette année ? Visitez un coin de pays que vous ne connaissez pas. Vous aurez une grande curiosité à satisfaire. C'est la fin d'un cycle, récompensez-vous.

L'amitié

Vos amis seront présents et vous soutiendront si vous traversez une période d'adversité, mais il est tout de même possible que vous les voyiez en fin de compte assez peu. Si vous vous êtes éloigné de quelques-uns d'entre eux, vous pourriez rencontrer de nouvelles personnes qui correspondront davantage à ce que vous vivez. Vous pourriez retrouver une amitié d'enfance. Il y a beaucoup de compassion dans votre ciel des prochains mois et vous aurez tendance à aimer tout le monde sur un pied d'égalité. Cela dit, vous vous ouvrirez davantage dans l'intimité qu'au beau milieu d'un grand groupe.

La famille

Si votre vie de famille est simple et équilibrée, vous vivrez une très bonne année parce que vous aurez un talent particulier pour l'intimité dans les prochains mois. Sinon, il pourrait y avoir crise. Vous pourriez réagir fortement et cesser d'accepter des attitudes, des paroles ou des gestes que vous avez supportés depuis longtemps. Il faut parfois s'affirmer et dire non! Tout cela peut se faire sans violence, simplement en étant clair et en exprimant ce que l'on accepte ou non.

Cela dit, il est probable que votre vie de famille se vive tout à fait bien et que vous soyez aux oiseaux dans votre demeure et avec vos proches. En particulier, il pourrait y avoir des rapprochements avec des oncles ou des tantes, des cousins ou des cousines... Vous verrez qu'on partage parfois beaucoup de points communs avec les gens de notre grand cercle familial.

Ce qu'on aimera de vous cette année

On aimera votre capacité de parler en toute franchise tout en restant sensible aux autres. Vous aurez une attention réelle pour les gens et cela se sentira. Ce que vous aimerez de vous quand l'année sera finie: votre capacité d'agir lorsque le temps est venu. Il en coulera de l'eau sous les ponts.

Trois défis

- Réglez tout problème de nervosité excessive.
- Soyez généreux de votre temps, mais souvenez-vous tout de même que charité bien ordonnée commence par soi-même.
- Transformez tout obstacle en occasion d'apprendre.

L'année selon votre élément

Chèvre de Métal

Vous ne passerez pas inaperçu cette année; les gens voudront votre bien et votre bonheur. On sera généreux envers vous, et vous le serez en retour parce que vous serez bien dans votre peau. Si vous êtes jeune, vous voudrez explorer le monde et pourrez vous y préparer tranquillement. Bien des portes s'ouvriront à vous l'an prochain. Cette année, préparez votre avenir. Si vous êtes déjà du côté des gens âgés, vous serez philosophe et verrez le bon côté des choses. Vous vous rendez toujours rapidement compte de ce qui ne va pas; cette aptitude sera utile tant à vous qu'à vos proches. Fidèle à vous-même, vous irez votre petit bonhomme de chemin vers ce que vous désirez.

Chèvre d'Eau

Dans vos activités, vous excellerez car vous serez capable d'une forte concentration; de plus, vous n'aurez pas peur d'apprendre et serez courageux, quelle que soit votre situation. Si vous avez une passion, vous évoluerez très vite. Vous pourriez aussi découvrir un intérêt soutenu pour un loisir. Vous aimerez vous centrer sur certains sujets précis et n'aurez pas tendance à vous éparpiller. Avec les proches, vous serez en paix. On appréciera se confier à vous. Vous serez stimulé par les gens actifs. Rencontres agréables tout au long des prochains mois.

Chèvre de Bois

Encore un an, et ce sera votre tour de commencer un nouveau cycle. Cette année, revoyez à quelques reprises le bilan de vos activités et de votre situation générale. Réfléchissez à ce qui vous passionne, et peut-être même à ce qui ne vous intéresse plus. Ensuite, prenez des décisions concernant votre futur. Avec les enfants ou les petits-enfants, vous serez en parfaite harmonie. Vous saurez aussi vous faire plaisir: rien de tel qu'un voyage pour vous ressourcer. Il y aura quelques tensions bien normales que vous réglerez de manière diplomatique. Cultivez l'optimisme, cela vous vaudra des succès. Vos amours se porteront bien si vous vous en occupez.

Chèvre de Feu

L'harmonie sera bel et bien présente, tant dans l'intimité que dans vos activités. Vous pourriez être un peu trop occupé, mais cela ne vous dérangera pas vraiment car vous préférez l'action à toute autre chose. Quels que soient vos projets, il y aura des développements sûrs cette année. Vous ne travaillerez pas pour rien! Côté financier, vous trouverez que l'argent s'envole bien vite. Si vous le pouvez, demandez conseil à un proche qui s'y connaît dans ce domaine, il suffit parfois de quelques tuyaux. Cette année, vous vous préoccuperez moins de ce que les autres pensent pour vous occuper davantage de ce que vous-même ressentez, ce qui ne sera pas mauvais du tout. Votre vie de famille se portera à merveille, mais ne négligez personne et, surtout, gardez en tête que le temps vécu avec ceux que l'on aime est précieux, plus précieux que tout.

Chèvre de Terre

Il ne faudra qu'une chose pour vous plaire : de l'action. En début d'année, vous pourriez être freiné dans vos élans. Il est possible que vous soyez contraint par les gens, que des obstacles se mettent en travers de votre route. Cultivez la bonne humeur, et vous contournerez bien des obstacles. De plus, il serait temps d'exercer une certaine patience, cela est toujours utile. La famille vous tiendra occupé et vous aurez toute l'énergie nécessaire pour mener votre barque. Dans vos relations intimes, vous aurez le cœur sur la main et partagerez de bons moments avec les gens que vous aimez. Une rencontre pourrait être décisive. Une naissance vous ravira peut-être. Côté travail, préparez quelques projets et travaillez-y dans l'ombre. C'est une année propice.

Au fil des mois

Vous aurez beaucoup d'énergie en *janvier* et serez capable d'avancer aisément dans un projet qui vous intéresse. Vous rendrez service tant à vous-même qu'aux autres, surtout grâce à votre bon sens et à votre capacité d'envisager les choses dans une perspective à long terme. Prenez soin de mesurer vos paroles et vos actions si vous souhaitez que vos rapports avec tous restent bons. Faites du sport si vous le pouvez, cela vous fera du bien. Accomplissez ce qui est exigeant, et vous serez satisfait de vous. Tout ce qui est routinier risque de vous ennuyer au cours des prochaines semaines. En famille, un proche pourrait avoir besoin de vous, ou encore un conflit émergera peut-être. Restez axé sur les solutions plutôt que sur les problèmes et vous trouverez la bonne idée pour régler tout ennui.

Vous saurez créer un climat propice à l'entente pendant tout le mois de *février*. Vous prendrez des décisions, tout en tenant compte de ce que les autres souhaitent vivre. Vous n'aurez aucune propension à l'égocentrisme. Par ailleurs, vous ne vous ferez pas avoir non plus ! Qui voudra profiter de vous se retrouvera le bec à l'eau. Dans vos activités, vous relèverez tout défi avec talent. Étudiez des sujets difficiles, abordez une étape exigeante, vous serez apte à aller plus loin et n'aurez pas tendance à vous décourager devant une difficulté. Vous comprendrez mieux certains de vos proches, vous verrez les choses sous un nouvel angle.

Au début du mois de *mars*, faites part de vos idées aux gens de votre entourage, utilisez votre imagination au maximum, laissez-vous guider par vos intuitions, et vous sentirez qu'un projet se trouve dans la bonne direction. Vous aurez à la fois le sens de l'organisation, un goût sûr et un désir de confort; vous pourriez donc apporter des changements dans votre environnement. Vous serez dans un état d'esprit très familial en cette période et les gens de votre intimité auront toute importance à vos yeux. Côté santé, vous pourriez éprouver le besoin d'entreprendre un régime avant l'été. Analysez d'abord ce qui vous ferait un bien réel et ne vous privez pas trop, car c'est souvent inutile à long terme. Faites plutôt des exercices pour être bien dans votre peau. Vivez de manière équilibrée, sans être austère. Si vous vous sentez parfois tendu, prenez simplement du temps pour vous seul et pour l'intimité. Vous vous ressourcerez en vous faisant plaisir.

Vous plairez beaucoup en *avril*, et vous pourriez vivre de douces émotions. En couple, prenez du temps pour vous deux, partez quelques jours, organisez une activité qui sort de l'ordinaire. Célibataire, ouvrez les yeux, prenez le temps de voir ce qui se passe autour de vous, votre statut pourrait changer en un rien de temps. Dans tous les cas, vous serez plus ouvert au plaisir que vous ne l'étiez depuis quelques mois. Physiquement, c'est la forme. Bien sûr, c'est le printemps pour tout le monde, mais il semble qu'il y ait un petit quelque chose de plus pour vous. Dans vos activités, voilà un bon moment pour mettre de l'ordre dans vos papiers et voir où vous en êtes.

En *mai*, vous aurez le goût de partir à l'aventure. Si vous prévoyez voyager dans les prochains mois, préparez-vous-y ce mois-ci. Vous partez dès maintenant? Vous en êtes ravi. Vous aurez aussi beaucoup de courage durant les prochaines semaines; vous prendrez facilement la défense des autres de même que vous défendrez vos idées, vos valeurs. Côté cœur, aucune ombre à l'horizon. Vous apprécierez aussi tout défi, du plus quotidien au plus étonnant. Acceptez de nouvelles responsabilités si on vous en offre, ou proposez des changements si vous croyez cela nécessaire. Il y aura de la place pour les améliorations. Vous aurez durant les prochaines semaines un fort besoin d'aller de l'avant. Nourrissez-vous adéquatement, vous serez ainsi bien dans votre peau.

En *juin*, si vous êtes célibataire, vous voudrez peut-être changer de statut; si c'est le cas, soyez ouvert à la nouveauté, détournez-vous du passé. En couple, si vous espérez un rapprochement et une plus grande intimité, laissez la vie suivre son cours, soyez attentif et généreux: le bonheur s'installera à demeure. En matière de finances personnelles, vous serez par ailleurs assez maître de vous-même. Quelle que soit votre situation, vous verrez les faits comme ils sont et serez capable de modifier la donne si cela se révèle utile. Énergique et d'humeur entreprenante, vous pourrez faire évoluer les choses dans le sens souhaité.

Si vous n'êtes pas en vacances en *juillet*, vous aurez tout de même besoin d'un certain calme. Idéalement, il vous faudrait fuir le brouhaha quotidien et la routine, voire vous dépayser un peu. Vos amours se vivront sur un mode sensuel et paisible. Vous pourriez officialiser une relation, vous engager à long terme ou même faire une nouvelle rencontre. Vous aurez de toute façon le goût d'être tel que vous êtes, et vous saurez qu'on ne peut être aimé et aimer vraiment que lorsqu'on est fidèle à soi-même. Côté famille, vous serez aux aguets et voudrez faire le bonheur de tous ceux que vous aimez.

Le mois d'*août* pourrait être faste en ce qui a trait aux rassemblements familiaux, ce qui vous détendrait beaucoup. Dans tous les cas, délassez-vous en faisant exactement ce qui vous plaît ! Vous serez très sociable en cette période et serez facilement le pôle d'attraction. Si vous êtes au travail, on pourrait vous offrir un poste de responsabilités durant les prochains mois. Quelle que soit votre situation, vous serez à la fois responsable, créatif, sérieux et drôle. Plus conscient de votre désir d'évoluer dans un sens précis, vous pourrez faire des gestes concrets. Vous serez souple avec tous, mais vous ne vous disperserez pas. Beaucoup de chance ce mois-ci.

En *septembre*, gardez du temps pour dresser le bilan de vos activités ou de certaines questions personnelles, mais pensez surtout au long terme. Pas de rêveries, elles ne vous mèneraient nulle part. Vous serez en grande forme et il faudra que votre action mène au succès. Si l'on tente de vous mettre des bâtons dans les roues, soyez patient et maintenez le cap sans faire trop de bruit. Dès la fin du mois, la voie sera vraiment libre. Côté cœur, vous serez d'une humeur plus amicale qu'amoureuse. Vous aimerez sortir, discuter, vous amuser, rire, et vous apprécierez de fuir (un peu) la routine. Vers la fin du mois, quelques bonnes nuits de sommeil vous feront le plus grand bien.

En *octobre*, vous vous adapterez à toute situation grâce à votre intelligence. D'un obstacle vous ferez un défi. Et lorsque vous sentirez que vous ne pouvez plus avancer, vous vous arrêterez simplement. Fiez-vous à votre capacité d'analyse et restez raisonnable, cela sera rentable. Surtout, cachez un peu vos plans, ne dites pas tout, gardez-vous d'accorder votre confiance au premier venu. Évidemment, il ne s'agit pas de devenir méfiant non plus, mais c'est le moment d'agir discrètement et de cultiver une certaine réserve. Côté cœur, des rapprochements tendres pourraient survenir dans votre vie au moment où vous ne vous y attendez pas. Laissez-vous guider par votre bonne étoile.

Vous aurez du succès en *novembre* et attirerez beaucoup l'attention de gens. Intérieurement, vous serez très en forme et vous approfondirez vos connaissances. Par ailleurs, vous pourriez vivre quelques tensions, car les événements se succéderont à une vitesse folle. Dans vos activités, vous serez étonné par le comportement de certaines personnes. Côté sentiments, vous charmerez qui vous voudrez. En famille, vous pourriez guider un jeune dans une voie qui lui conviendrait bien. Faites place à un changement à la fin du mois, vous amorcerez lentement une nouvelle étape qui révélera votre pragmatisme.

La chance s'installe pour un temps du côté de vos finances en *décembre* : si vous êtes déjà à l'aise, vous ferez tout de même des gains. Sinon, vous serez capable d'organiser de belles fêtes sans pour autant trop dépenser. Il n'y a pas que les biens matériels dans la vie, mais quand on arrive à bien s'en sortir, ça vaut tout de même le coup de s'en réjouir et même de s'en féliciter. Vos efforts et votre détermination seront récompensés. En amour, soyez aux petits soins avec l'être aimé, car vous serez capable par de simples gestes de mettre beaucoup de piquant dans votre vie commune. Célibataire ? Vous pourriez croiser ou recroiser le chemin d'une personne avec qui vous avez de réelles affinités. Changez de cap avec plaisir, l'année devrait avoir été bonne ; celle de l'an prochain s'annonce plus simple : vous constaterez que ce que vous avez semé donne enfin de bons fruits.

猴

Le Singe

Vous êtes fantaisiste et curieux.

On vous dit malin et capable de persuasion.

Pour être heureux, fuyez la monotonie et la facilité.

✶✶✶

Singe d'Eau : du 6 février 1932 au 25 janvier 1933

Singe de Bois : du 25 janvier 1944 au 12 février 1945

Singe de Feu : du 12 février 1956 au 30 janvier 1957

Singe de Terre : du 30 janvier 1968 au 16 février 1969

Singe de Métal : du 16 février 1980 au 4 février 1981

Singe d'Eau : du 4 février 1992 au 22 janvier 1993

Singe de Bois : du 22 janvier 2004 au 8 février 2005

Singe de Feu : du 8 février 2016 au 27 janvier 2017

猴

La personnalité du Singe

Le Singe est connu pour sa curiosité, sa drôlerie et son intelligence. Il a un esprit fin, mais il lui arrive d'être incisif et sarcastique. Honnête ? Oui, la plupart du temps. Mais son air sympathique cache tout de même un sens de la stratégie. En Chine, on se méfie un peu du Singe ; au Tibet, on le considère comme un ange.

Le Singe n'est pas un adepte de la facilité et de la routine. Il aime les défis et il les relève avec brio. Tout est possible selon lui. Face à un obstacle, il est souvent plus stimulé que perturbé. On le dit doué d'une bonne mémoire mais, en fait, il se souvient de ce qui l'intéresse et s'empresse d'oublier le reste. Il aime par-dessus tout expérimenter : quand il fait un mauvais pas, il considère qu'il s'agit d'un apprentissage dont il se servira plus tard. Rien ne se perd, croit-il ! Il est généralement bon élève : il apprend vite et progresse bien. Cela dit, sa sagesse et sa culture ne sont pas du genre scolaire. Le Singe est assez sûr de lui. S'il ne l'est pas dans sa jeunesse, soyez assuré qu'il développera une bonne confiance en lui-même en vieillissant.

Dans la vie sociale, sans être autoritaire, le Singe aime bien établir les règles du jeu. Il est particulièrement apprécié pour son sens de la conversation. Généralement cultivé et curieux, il aura toutes sortes d'histoires intéressantes à raconter. En outre, quand il est dans les environs, les occasions de rire ne manquent généralement pas. Sa plus grande qualité est, sans contredit, son enthousiasme. Jeune, un de ses grands plaisirs consiste à se montrer plus malin que les gens qui l'entourent, mais avec le temps, il se rend compte que cette attitude peut éloigner de lui des gens de valeur.

Au travail, le Singe est un innovateur. Vous souhaitez faire quelques changements ? Associez-vous à lui, car il ne craint pas la nouveauté. Il se démarque par son ingéniosité et par sa vivacité d'esprit. Optimiste, il se sent heureux et stimulé quand il fait face à une situation complexe. Le pire, pour lui, c'est l'ennui. Face à un adversaire, il se révèle généralement astucieux. Il trouvera la faille et saura dissimuler ses intentions jusqu'au moment d'attaquer. Le Singe finit généralement ce qu'il commence : il aime les résultats. Il se perd rarement dans les rêveries et s'il le fait, il utilisera, tôt ou tard, la matière de ses rêves pour bâtir quelque chose. Bref, c'est un réalisateur. S'associer à un Singe, c'est se joindre à quelqu'un qui aime se croire plus fin que soi, mais qui saura vite se rallier à notre opinion s'il sent que nous avons raison. Même s'il a quelques prétentions, il aime trop l'intelligence pour ne pas la reconnaître.

Le Singe vit mal l'ennui. Demandez-lui de gagner sa vie à classer des fiches et vous le rendrez très malheureux ; comme il supporte difficilement le malheur, il partira. C'est un actif, mais il vaut mieux lui proposer des problèmes à sa mesure. Il doit toujours sentir qu'il avance. Il souffre moins de l'épuisement que de l'inactivité ou de la banalité. Il peut devenir patron mais, généralement, il n'y tient pas beaucoup. À choisir, il préférera travailler pour quelqu'un d'admirable, car il aime avant tout apprendre.

Pour ce qui est de l'aspect matériel, l'argent compte assez peu pour le Singe. Vous ne pourrez pas le faire bouger en lui faisant miroiter un gain, car on ne l'achète pas. Cela dit, il est généralement habile à voir si un domaine vaut la peine qu'on s'y intéresse. Il est également bon vendeur.

Dans ses affections, le Singe a un esprit libre et, le plus souvent, un bon équilibre. Il ne souffre pas de grandes inhibitions ni de culpabilité. Il peut donner un coup de main ou de bonnes idées à ses proches, mais c'est, dit-on, surtout parce qu'il adore résoudre les problèmes, même s'il s'agit des vôtres ! À long terme, il est un bon compagnon parce qu'il finit par transmettre un peu de sa lucidité et de sa compréhension de la vie, ce qui est toujours utile.

En amour, la première chose que vous entendrez du Singe, c'est que la fidélité n'est pas son fort. On trouve beaucoup de célibataires et de gens qui ont vécu plusieurs unions chez ces natifs. Entre deux unions, ils prennent une pause. Mais au fond, le Singe est beaucoup moins volage qu'on le dit: en réalité, il espère simplement qu'on le croira tel. Sa réputation lui donne une aura de liberté aux yeux des autres. Une relation amoureuse avec un Singe sera marquée par l'humour et par le plaisir. Le Singe peut tenter de manipuler, mais son côté enfant et sa sincérité vous le rendront unique. Avec le temps, il se révèle capable d'un amour profond et sincère. Madame Singe est, par certains côtés, une aventurière. Ses attachements étonnent toujours. Monsieur Singe aime les femmes qui ont de la conversation et une vie indépendante. Ne vous appuyez pas sur lui, mais sachez que vous ne vous ennuierez pas en sa compagnie.

Ses rôles

- L'enfant est curieux et précoce. Ce natif conserve un côté enfantin toute sa vie.
- Le parent donne le goût de l'excellence à ses enfants.
- L'amoureux est drôle, agité et imaginatif.
- L'ami ou le collègue est utile et lucide.
- En affaires, le Singe est compétitif et il gagne souvent.
- Le patron tient des propos clairs, mais il est plutôt exigeant.
- L'enseignant est créateur. On le dit à la fois guide et tortionnaire.
- L'ennemi est malin, mais il oublie vite.

Ce qu'il représente

En Chine, le Singe est perçu comme un vagabond ou un aventurier. On dit qu'il est un bon intermédiaire entre le ciel et la terre. Selon les bouddhistes tibétains, leur ancêtre était un singe. Il représente pour eux un être surnaturel et bienfaisant; il est une sorte d'ange.

Les éléments

Le Singe de Métal est un indépendant qui sait deviner les autres. L'élément Métal peut lui donner un caractère dur. Adroit en affaires, il sait conserver ses économies.

Le Singe d'Eau est intuitif et rusé; on le dit fin stratège. L'élément Eau, en relation avec la sensibilité et les émotions, lui confère une grande réceptivité, de l'imagination et le besoin d'harmonie. C'est un intuitif.

Le Singe de Bois est rempli de nouvelles idées. C'est un curieux ambitieux. L'élément Bois favorise l'expansion et l'épanouissement, le bonheur et la générosité. Ce natif se caractérise par son sens moral.

Le Singe de Feu est inventif et enthousiaste. Il est calculateur et compétitif. L'élément Feu lui confère chaleur, générosité et joie de vivre. Ce natif acquiert confiance en lui-même avec les années.

Le Singe de Terre est un studieux qui a le sens des responsabilités. L'élément Terre renforce son sens de la réalité et son esprit pratique. Le natif est généralement très cultivé. Il est prudent, constant et rationnel.

Harmonies et conflits

++ Le Singe, le Dragon et le Rat s'entendent souvent très bien. Tous trois actifs, ils regardent vers l'avenir et sont soucieux de leur performance. Le Singe et le Dragon se plaisent mutuellement et se comprennent ; ils ont généralement une vie sociale très intéressante. Le Singe et le Rat ont des objectifs communs et pratiques ; ils aiment se rendre utiles.

\+ Le Singe et le Sanglier ne se déçoivent pas et ne s'affrontent pas. Avec le Chien, le Singe s'amuse.

– Le Singe et le Tigre s'opposent. Seuls leurs ascendants respectifs peuvent les rapprocher.

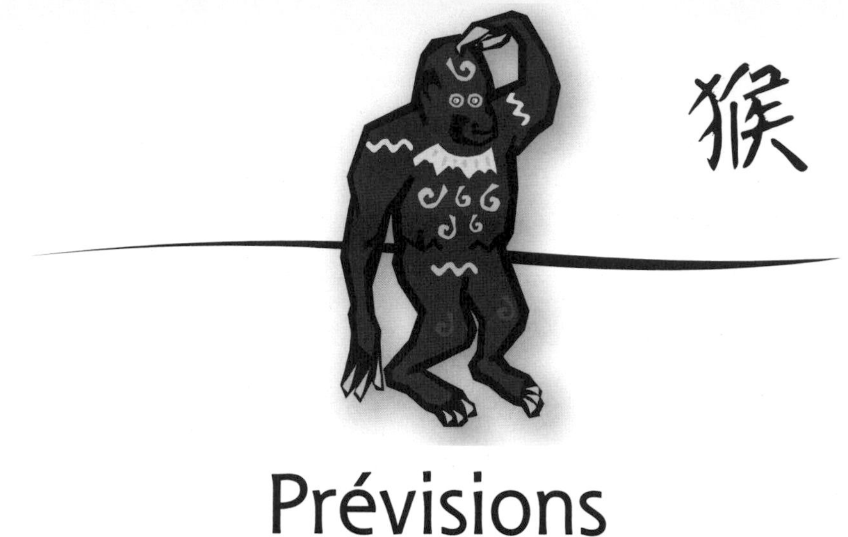

Prévisions pour le Singe

Celui qui cherche, il ne trouvera pas. Celui qui ne cherche pas, il trouvera et il aura les mains pleines.

Kerstin Ekman

Du 31 janvier 2014 au 18 février 2015

En 2014, vous prendrez conscience que ce qui compte vraiment, ce sont les liens que nous tissons avec ceux que nous aimons, les rapports que nous entretenons avec les gens, la qualité de nos amitiés et de nos amours. Vous n'attendrez rien d'impossible de la part des autres et aurez tendance à laisser chacun agir à sa guise. Au cours des prochains mois, il deviendra clair à vos yeux que le fait de ne pas avoir d'attentes par rapport aux événements est un avantage quand il est question de bien vivre. Cela ne signifie pas que vous ne préparerez pas le terrain pour certains projets que vous voudriez voir se réaliser ; c'est simplement que vous ne chercherez pas à ce que la vie se déroule de telle ou telle manière. Vous aurez un grand sens de la liberté au cours de l'année, ce qui vous conviendra parfaitement, car vous êtes naturellement enclin à donner la priorité à la liberté dans votre vie.

Par ailleurs, vous pourriez vous intéresser à la politique, joindre une organisation, participer à une équipe sportive, car cela vous plaira certainement davantage que dans les dernières années. Bien que d'un naturel individualiste, vous vous découvrirez une fibre grégaire assez forte au cours des prochains mois. Cela dit, vous resterez capable d'affirmer vos idées même si elles ne vont pas toujours dans le sens de la majorité ; vous le ferez en comprenant bien et en respectant les positions adverses ou différentes des vôtres. Nous serions bien ennuyés de vivre dans un monde où tous auraient les mêmes opinions : vous ne serez pas malheureux de défendre vos idées et d'entendre celles des autres, même si elles diffèrent.

Une activité nouvelle pourrait vous attirer, et vous n'hésiterez plus à choisir un chemin qui vous correspond entièrement. Si vous devez changer de route, faites preuve de courage, cela est toujours bien. De plus, rappelez-vous que la confiance en soi est une qualité souhaitable, mais qu'un surplus de confiance pourrait heurter les gens. C'est aussi une année qui vous portera à réfléchir à votre futur à long terme. Vous pourrez conclure des alliances intéressantes et préparer le terrain à des projets passionnants.

Vous aurez un grand sens de l'amitié au cours de l'année et toutes vos relations seront empreintes de loyauté. Elles seront en particulier sous le signe de la considération, ce qui est un gage de bonheur. Vous aurez des idées ingénieuses, il faudra simplement vous mettre au travail afin de les concrétiser. Cette année est propice à la réévaluation de vos valeurs. Vous serez protégé par la chance, mais vous serez également mis au défi de faire votre place au soleil. Faites passer votre vérité à l'avant-plan.

Vos amours

Côté cœur, l'année s'annonce paisible pour les natifs de votre signe. Vous aurez une bonne qualité d'écoute, ce qui facilitera vos rapports avec tous, et en particulier avec la personne aimée. Vous ne serez pas enclin non plus à vous en faire pour des riens et à être suspicieux dans votre vie amoureuse. Vous vous sentirez en confiance, et de celle-ci naîtront de bons rapports. Si la personne que vous aimez vit des difficultés, surtout restez tout près et assurez-vous de lui donner tout l'appui nécessaire. Comme vous aurez de la facilité à communiquer, votre vie sentimentale devrait bien se porter, que vous viviez en couple ou pas.

Rien n'est petit dans l'amour. Ceux qui attendent les grandes occasions pour prouver leur tendresse ne savent pas aimer.

Laure Conan

Si vous êtes *célibataire*, ce sera une très bonne année pour faire une rencontre déterminante. Une amitié qui se transformerait en un amour n'aurait rien d'étonnant, même si cela reste généralement rare. Vous pourriez aussi amorcer une relation sans grande passion et voir celle-ci se transformer lentement en une belle histoire d'amour. Dans tous les cas, vous serez loyal à ceux que vous aimez, et comme vous n'aurez pas la langue dans votre poche, vous serez en mesure de dire sur-le-champ ce qui va et ce qui ne va pas. Cette attitude franche facilitera vos relations.

Si vous êtes *en couple*, vous vous ouvrirez à l'être cher sans craindre que cela cause des conflits. Vous aurez du plaisir à discuter de vos philosophies respectives, et vous ne serez pas tenté de demander à l'autre d'être un miroir de vous-même. Une chose est sûre, vous serez heureux si vous pouvez partager des activités communes ; c'est dans l'action que votre couple s'épanouira le plus. Proposez des randonnées, des visites de musées, de courts voyages (ou un long), des spectacles, et accueillez les propositions de sortie de l'être aimé. Dans tous les cas, vous aurez beaucoup de facilité à dire ce que vous pensez, et s'il y a parfois des conversations quelque peu houleuses, elles auront le mérite d'éclaircir les choses. Gardez également en tête et dans votre cœur que, pour qu'un amour soit heureux, on doit le protéger. Plus vous en prendrez soin, plus votre relation sera bonne. Pour certains d'entre vous, un mariage est possible ; c'est une année qui s'y prête.

Cœur atout !

- Évitez les critiques acerbes, elles n'améliorent en rien les relations.
- Vous serez très chaleureux et ouvert d'esprit et de cœur cette année, cela aura une incidence joyeuse sur votre vie sentimentale.

Vos activités

Il sera important que vous ayez la possibilité d'innover dans le cadre de vos activités. Si l'on tente de vous manipuler ou qu'on essaie trop de vous contraindre, vous réagirez fortement. Il est cependant possible que vous ayez à mettre un peu d'eau dans votre vin à quelques reprises au cours de l'année. Dites-vous que même si vous avez de bonnes idées, les autres peuvent aussi en avoir ! Vous serez également tenté d'essayer de nouvelles voies et d'explorer un nouveau secteur d'activité. Il n'y aurait rien d'étonnant à ce que vous changiez carrément de travail ou que vous entrepreniez de nouvelles études si vous en avez la possibilité. Il s'agira pour vous de ne pas vous ennuyer, ce que vous supporteriez difficilement.

Vous aurez besoin de croire en ce que vous faites et aurez de la difficulté si ce n'est pas le cas. Vous vous impliquerez facilement dans des activités sociales et exprimerez votre opinion dès que vous le pourrez. Cela dit, vous tiendrez compte des autres, ce qui sera un atout pour tous. Tout travail en équipe vous conviendra bien, et vous délaisserez votre individualisme habituel. Votre fibre créatrice sera forte, alors exercez-la. Prenez tout de même le temps de ralentir : ce que l'on fait lentement, on le fait mieux. Si vous avez l'occasion d'améliorer un processus de travail en en revoyant chacune des étapes, vous aurez d'excellentes idées. Votre esprit pratique ne se démentira pas.

Les patrons, les collègues et les associations

Si vous êtes patron, vous serez efficace et méthodique cette année, et vous aurez un bon sens de la camaraderie. Vous saurez encourager chacun à exprimer le meilleur de lui-même. Une seule difficulté : comprendre les gens qui se plaignent pour des riens. Essayez de garder votre calme en toute situation, cela est beaucoup plus efficace. Votre patron vous laisse une bonne marge de manœuvre ? Tout ira bien ; autrement, vous vous désintéresserez de vos tâches.

Il n'y a pas d'indications particulières avec les collègues, si ce n'est que vous vous entendrez à peu près avec tout le monde. Toute association nouvelle aura de bonnes chances de réussite si vous faites partie du groupe. Vous serez un élément rassembleur cette année. Lancez-vous en politique si vous le désirez, vous aurez l'approbation de beaucoup de monde. Vous ressentirez le besoin de vous sentir utile ; un peu de bénévolat peut-être ?

L'argent et les biens

Vous pourriez vous servir de votre imagination pour faire des gains supplémentaires, car votre intelligence restera pratique. Cela dit, votre situation s'améliorera, surtout grâce à la détermination dont vous ferez preuve. Vous vous fixerez des objectifs clairs et les garderez en tête sans vous laisser distraire par quoi que ce soit. N'oubliez pas de freiner les petites dépenses inutiles si vous avez un assez gros projet en vue : le fait d'économiser un petit montant chaque jour vous rapportera une somme intéressante en un an. On oublie parfois ce fait tout simple. Même si l'année s'annonce donc comme un bon cru du point de vue des bénéfices matériels, vos dépenses pourraient augmenter un peu. Si vous faites un budget, vous verrez que c'est utile.

Une ou deux astuces pour réussir

- Vous n'aurez besoin des conseils de personne pour la bonne gestion de vos biens cette année, mais ne rejetez pas un nouvel apprentissage.
- Même si vous vous intéressez de près aux questions d'argent, n'en devenez pas pingre ou trop pris par la question ; restez détaché.

La forme, la santé et les loisirs

Il y aurait une façon toute simple pour que vous soyez en forme physique et même psychologique toute l'année : faire du sport le plus souvent possible. Prenez-en l'habitude. C'est simple, beaucoup plus simple que vous ne le pensez, il ne s'agit que de vous engager à en faire pendant 30 minutes par jour durant 30 jours... Dès lors que vous arriverez au trentième jour, vous saurez vraiment si cela vous convient et si vous désirez continuer. Grâce à ces exercices, vous serez dans une forme resplendissante. Notez que vous pouvez opter pour trente minutes de marche, ce qui n'est pas si compliqué. Par exemple, rendez-vous au travail ou faites vos courses à pied, ou encore proposez à votre partenaire de vie ou à un de vos enfants de faire une promenade après le repas du soir.

À part cette petite autodiscipline que je vous suggère, il serait bien pour le reste de ne pas trop vous astreindre. Profitez de la vie sans trop vous obliger à quoi que ce soit. Bien sûr, il vaut mieux manger des aliments qui sont bons pour la santé, mais n'en faites pas une obsession. Si vous notez que vous prenez du poids, limitez simplement les gras et le sucre. Ça ne devrait pas être si compliqué.

Côté loisirs, ce qui se fait en groupe vous intéressera très probablement. Vous pourriez vous joindre à un club, devenir membre d'un groupe, suivre un cours ; pensez à un sujet sur lequel vous aimeriez bien en connaître davantage et voyez s'il n'y aurait pas moyen de vous lancer dans un nouvel apprentissage. Continuer d'apprendre tout au long de sa vie est salutaire. La prudence s'imposera si vous voyagez, mais vous prendrez tout de même plaisir à découvrir des lieux inusités. Planifiez précisément toute escapade.

L'amitié

L'amitié, c'est l'amour en habit de semaine, dit un proverbe québécois. Eh bien, vous le mettrez en pratique fortement. En fait, cette année, vous aimerez beaucoup les gens et serez capable de vous mettre dans leur peau, de les comprendre et de les aimer. Ainsi, vous serez probablement (et même très probablement) aimé en retour. Des amis du passé pourraient revenir dans votre vie ; vous les retrouverez comme si vous les aviez quittés hier : l'amitié est ainsi, quand elle existe vraiment, elle réapparaît avec une grande simplicité. Vous pourriez aussi créer des liens avec des gens que vous avez connus récemment : une nouvelle amitié est toujours agréable. Un seul petit bémol : gardez du temps pour vos proches (amoureux, enfants), et ne vous laissez pas envahir par des gens qui vous priveraient de votre intimité amoureuse.

La famille

Côté famille, vous vous rapprocherez autant de votre famille d'origine que de celle que vous avez peut-être créée, et vous serez heureux de vivre de bons moments avec tous. Il est clair que vous aurez moins de désirs individualistes qu'au cours des dernières années, et le fait de communiquer avec chacun vous ressourcera et vous donnera un sentiment de sécurité. Si un des vôtres se trouve dans une situation difficile, vous trouverez une façon de lui donner de l'aide, tant par vos paroles chaleureuses que par des moyens tangibles. Par ailleurs, la famille pourrait s'agrandir, ce qui fera du bien à tous. Certains conflits anciens se résorberont pour de bon.

Ce qu'on aimera de vous cette année

On aimera votre simplicité, votre qualité d'écoute, votre imagination fertile, votre courage. Vous trouverez une façon de servir les autres tout en tenant compte de vos propres besoins.

Trois défis

- Croyez en vous-même, prenez votre envol.
- Les résultats seront probants et durables si vous vous appliquez dans vos tâches.
- Impliquez-vous socialement.

L'année selon votre élément

Singe de Métal

Vous ferez de grands pas dans la direction souhaitée. Votre sens de la justice ne se démentira pas. Vous n'essaierez pas d'obtenir davantage que les autres, mais vous ne voudrez pas rester en arrière non plus. Vous aurez parfois l'impression que tout est un peu brouillon autour de vous et vous pourriez avoir à freiner une propension à vous imposer. Laissez les gens agir à leur guise et dites simplement ce en quoi vous croyez. Vous pourrez atteindre certains de vos objectifs; vous tiendrez la route et inspirerez les gens que vous côtoyez.

Singe d'Eau

Vous aurez à défendre vos points de vue cette année, et il faudra que vous soyez aux aguets, car les gens de votre entourage auront peut-être tendance à parler à votre place! Surtout, ne vous laissez pas mener par le bout du nez, vous êtes parfaitement capable de diriger votre barque. Toutefois, restez diplomate: vous verrez que tout problème s'aplanira aisément grâce à votre gentillesse. Une année étonnante, surtout si vous poursuivez vos projets en y travaillant calmement et en équipe. N'oubliez pas que de bien se nourrir favorise grandement la bonne humeur.

Singe de Bois

Une année à marquer d'une pierre blanche. Une année qui marquera un tournant plaisant. Vous serez très optimiste durant les prochains mois et verrez facilement le bon côté des choses. Si vous avez des projets, travaillez-y, sans vous presser, mais en vous y appliquant. Votre confiance en la vie et en vous-même vous mènera là où vous le souhaitez. Vous verrez tout d'un œil joyeux et, grâce à cette propension, la chance sera à vos trousses. Vous vivrez de multiples bons moments. Amitiés favorisées.

Singe de Feu

Le temps passe, penserez-vous peut-être à quelques reprises au cours des mois qui viennent. Vous vous ferez philosophe. Vous avancerez à votre propre rythme, sans vous presser. Vous aurez une sensation de pouvoir retrouvé ; il ne s'agit pas d'un pouvoir exercé sur les autres, mais plutôt d'un pouvoir intérieur. Vous vous entendrez avec tous et serez heureux si vous participez à un projet collectif. Vous pourrez amorcer un grand changement dans votre vie. Cela se fera peut-être sur plusieurs années : commencez à y penser et à vous organiser. La vie change.

Singe de Terre

Vous irez votre petit bonhomme de chemin durant les prochains mois en ne perdant pas de vue vos priorités. C'est bien d'être réaliste, mais n'abandonnez pas trop rapidement vos rêves. Au cours des mois qui viennent, vous pourriez faire des rencontres déterminantes en lien avec des projets qui vous tiennent à cœur : allez-y, parlez-en, agissez. Vous mordez dans la vie comme jamais, alors réfléchissez à ce que vous voulez vraiment, faites-vous un petit résumé de la situation et avancez vers vos buts. Vous n'avez pas peur du travail, cela jouera en votre faveur, en particulier si vous attendez peu des autres. Voilà une année de réalisations multiples.

Au fil des mois

En *janvier*, vous aurez quelques semaines pour planifier vos tâches, pour faire des choix et pour organiser votre emploi du temps dans vos activités et dans votre intimité. En cette période de l'année, vos rapports avec les gens prendront beaucoup d'importance, vous les écouterez, vous vous exprimerez. Vous aurez l'occasion de penser à quelques ajustements si c'est devenu nécessaire. Côté cœur, vous serez en pleine forme, vous saurez apporter une note positive et constructive là où vous irez. Par l'imagination, vous avancerez beaucoup. Innovez, ne suivez pas les sentiers battus, vous y gagnerez. En famille, vous vivrez des moments de bonheur avec les enfants si vous êtes parent. Vous serez à l'écoute de leurs besoins et saurez leur montrer la meilleure route à suivre. Au travail, vous serez mûr pour un engagement à long terme dans un nouveau secteur. Vous pourriez aussi vous associer. Gardez-vous d'une propension à l'agressivité et à des réactions rapides, prenez le temps de réfléchir avant de faire valoir votre point de vue. En matière d'argent, vous saurez équilibrer les dépenses et les gains.

En *février*, vous privilégierez tout ce qui concerne le groupe: la famille, les collègues ou les amis. Si vous travaillez dans le domaine social ou médical, vous vous sentirez à votre place dans les prochaines semaines, et vous saurez comment être utile à chacun. En famille, vous vivrez un rapprochement ou aurez une conversation enrichissante avec un proche. Côté cœur, vous mettrez l'être aimé sur un piédestal, ce qui ne lui déplaira certainement pas! Si vous êtes célibataire, tâchez de ne pas mettre tous vos œufs dans le même panier en vous consacrant seulement au travail. Vous aurez l'esprit de clan en cette période et vous saurez rassembler les gens vers un même but.

Si vous faites face à quelques contraintes financières en *mars*, vous saurez vous débrouiller de manière à tirer le meilleur parti de ce que vous possédez. Des questions d'assurances retiendront votre attention, ainsi que des détails matériels qu'on oublie parfois. Au travail et dans vos activités, vous serez certainement dans une forme resplendissante en cette période: 1. vous vous exprimerez facilement; 2. vous aurez une imagination très à propos; 3. vous serez hardi. Ce sera vraiment le moment d'aller de l'avant, de plonger dans le secteur qui vous intéresse. Très sociable, vous serez d'autant plus en forme que vous verrez du monde. Si vous êtes un tant soit peu isolé, allez vers de nouvelles connaissances. Autre aspect de votre existence à ne pas négliger: le besoin de diversité. Que ce soit dans l'intimité ou dans vos activités, vous refuserez de vous enliser dans une routine trop régulière.

En *avril*, faites beaucoup de choses, touchez à tout, ne vous contentez pas du petit quotidien, voyez du monde, des amis surtout, et vous serez en forme. Vous aimerez également débattre de certains sujets avec vos copains. Vous aurez une approche constructive et un esprit d'équipe dans les semaines qui viennent. Côté cœur, aucune anicroche à l'horizon, vous aurez de bons rapports avec l'être aimé. Vous serez probablement d'une grande sensualité pendant quelque temps. Tant en famille qu'avec les collègues, vous vous entendrez avec tous. En matière d'argent, c'est une période intéressante pour faire grossir votre pécule, vous utiliserez au mieux vos avoirs. Vous aurez également le cœur voyageur en cette période, et si vous avez la possibilité de vous trouver dans la nature, ne ratez pas cette occasion.

Vous entamerez le mois de *mai* avec un goût particulier pour le silence et la tranquillité. Si vous pouvez vous le permettre, reposez-vous davantage que dans les derniers mois. Écoutez de la musique, faites de longues promenades, vous vous ressourcerez avant de commencer l'été. Si vous devez faire face à quelques dépenses imprévues, ne vous inquiétez pas, l'avenir s'annonce serein. Intérieurement, vous serez en forme, à la simple condition de savoir vous garder du temps et de ne pas vous obliger à voir des gens qui vous fatiguent. Côté travail ou activités, si le temps est venu de faire vos preuves, ayez confiance en votre expérience et restez détendu. Il y a un temps pour les apprentissages, un autre pour redonner ce qu'on a reçu, vous entrez dans un cycle de don et d'expression de soi. Tout se déroulera bien en ce mois, mais prenez le temps d'entendre le chant des oiseaux et de lever la tête vers les nuages ou la lune une fois de temps en temps. Contacts avec la nature à privilégier.

Vous serez en forme tout le mois de *juin*. Vous aurez littéralement besoin des autres et de leur soutien durant les prochains mois. Ça ne veut pas dire que vous ne serez pas autonome, loin de là ; au contraire, votre capacité d'être vous-même et de réaliser vos objectifs sera remarquable. C'est simplement que durant quelques semaines, vous apprécierez les compliments et autres doux plaisirs qui flattent l'ego. Vous saurez également mettre les petits plats dans les grands, à condition qu'on fasse de même avec vous. Certaines questions se résoudront plus facilement que vous ne l'aviez anticipé. Voyez du monde en cette saison.

Vous aurez le goût du faste en *juillet* et de ce qui est facile et agréable. La vie à deux et dans l'intimité sera plaisante. Vous aurez aussi le sens des communications avec les membres de votre famille, et vous pourriez être à l'origine de rapprochements. Bougez beaucoup en cette période : vous ne serez pas à l'aise si vous faites du surplace. Vous éprouverez le besoin de dépenser de l'énergie physique. Du côté des amours, vous saurez susciter les sentiments désirés par des paroles tendres. Les amitiés seront harmonieuses. Prêtez attention à tout ce qui touche les aspects matériels et financiers de votre existence, et vous prendrez des décisions qui vous mèneront vers plus de stabilité. Des gains sont à prévoir, et pour cela des amis vous donneront des pistes, du soutien ou un coup de main. À la maison ou en vacances, vous saurez cultiver un bel art de vivre en cette saison.

Un changement se dessine au cours du mois d'*août*: vous vous désintéresserez de questions financières pour vous préoccuper davantage de communications entre les êtres. Vous pourriez être attiré par l'écriture ou par un secteur exigeant le sens de la parole. Vous sentirez poindre en vous-même de nouvelles aspirations qui toucheront les mots et toutes les formes de communication entre les êtres. Vous pourrez aussi combler certaines lacunes dans votre formation si le cœur vous en dit. Vous développerez au cours des prochains mois davantage de pragmatisme, un côté terre à terre qu'on ne vous connaissait pas. Intérieurement et dans l'intimité, vous pourriez devenir plus secret et être moins tenté de vous confier durant les semaines à venir. S'il vous arrive d'être submergé par des émotions fortes, vivez cela sans trop vous poser de questions et sachez que ça passera, un peu plus de sensibilité vous apportera une meilleure connaissance des sentiments humains. Côté cœur, vous parlerez malgré tout avec facilité de vos sentiments. En famille, vous aurez une belle sensibilité à l'égard des autres et serez prêt à faire beaucoup pour répandre du bonheur autour de vous.

Septembre sera un mois d'équilibre pour vous. D'abord, vous aurez une vivacité intellectuelle et une curiosité peu commune, ce qui vous permettra de tirer le meilleur de vos expériences passées pour le futur. Vous serez également très habile côté paroles et ferez évoluer vos projets dans le sens désiré sans avoir à vous en faire. Il y a de la facilité dans votre univers ces temps-ci, vous récoltez ce que vous avez semé il y a longtemps, tout en n'oubliant pas de semer pour le futur. La famille est fortement présente en cette période ; vous prenez soin de vos proches ou, simplement, vous vous sentez bien en leur compagnie. Des questions de lieu de vie pourraient se régler durant les prochaines semaines : vous ferez quelques nouveaux aménagements ou peut-être prendrez-vous le temps de vous installer confortablement avant qu'arrive la saison froide. Côté cœur, de belles promesses pourraient être faites, et sachez mettre de l'avant toute notion de plaisir et de joie.

Vous sentirez poindre en vous une légère fatigue ou un certain manque d'esprit logique durant le mois d'*octobre*. Peut-être aurez-vous simplement besoin d'aller dormir tôt le soir ou de vous réserver un peu de temps dans la journée pour vous seul, pour la détente. Si possible, organisez votre emploi du temps pour faire place à des périodes de tranquillité. Côté cœur, c'est au quotidien que vous vivrez la vie : si vous avez un petit côté tatillon, la personne qui vous aime le ressentira peut-être vivement durant les prochaines semaines. Respectez vos habitudes et celles de vos proches, mais ne croyez pas qu'il faille à tout prix ne jamais déroger à ce qui a été prévu. Si vous vous donnez comme objectif d'équilibrer les divers aspects de l'existence, tout se déroulera bien ce mois-ci. Il y a de forts aspects créatifs dans votre vie et, selon votre situation et vos activités, cette créativité sera bien accueillie par les autres. Au travail, par exemple, innovez, vos idées nouvelles seront prises en compte. À la maison, les enfants, ou ceux des autres, vous tiendront occupé. Votre vie sentimentale ou affective sera active et forte durant les prochaines semaines. Des personnes célibataires ne seront pas à l'abri d'un coup de foudre, tandis que celles en couple pourraient ressentir de grands et tendres sentiments, un renouveau. En matière d'argent et au travail, vous saurez gérer vos biens de la meilleure façon. Visez la stabilité, vous atteindrez un de vos objectifs.

En *novembre*, vous commencerez une période durant laquelle vous aurez l'esprit pratique et une approche réaliste des faits. Vous ne serez pas porté à embellir ni à dramatiser la réalité, vous considérerez les faits pour ce qu'ils sont, rien de plus, rien de moins. Au travail ou dans vos activités, cela aura des retombées positives, car après une période de grande effervescence ou d'imagination vive, il est bon de stabiliser les acquis. Vous serez aussi en mesure de mettre de l'ordre dans vos affaires, de modifier certaines méthodes de travail, de manière qu'elles répondent davantage à vos attentes. Du côté des relations avec les autres, vous serez capable de leur donner toute l'attention qu'ils méritent. Période propice pour un engagement ou une signature de contrat. Vous saurez voir si les promesses pourront être tenues. Jusqu'à la fin de l'année, gardez quand même des moments de tranquillité et de solitude, des moments pour vous seul. Ils vous seront bénéfiques.

Vous vivrez *décembre* sur une note positive : vous saurez donner ce qu'il faut pour entretenir de bons liens tant avec vos proches qu'avec les autres qui le sont moins. Vous serez capable de discuter, de comprendre les gens qui vous entourent, de conclure des ententes. Cela dit, il n'y aura pas qu'harmonie en cette fin d'année, et quelques tensions avec des gens de votre entourage pourraient se montrer au grand jour. Dans vos activités, vous serez travaillant et aurez une énergie incroyable. Si vos buts sont précis, soyez assuré que vous ne prendrez que peu de temps pour les atteindre. Très actif, sans paresse, vous avancerez à grands pas. Depuis quelques mois déjà, vous avez peut-être senti que vos capacités d'expression augmentaient : sachez que vous pourrez continuer d'être pleinement vous-même durant les prochains mois. En cette fin d'année, vous aurez le cœur voyageur : si vous avez la possibilité de quitter votre quotidien pour un temps, n'hésitez pas une seconde. Avec vos proches, les liens seront bons.

鷄

Le Coq

Vous êtes digne, honnête et loyal.

De vous émanent la confiance et l'autorité.

Votre concentration, votre esprit délié,
votre style incisif et résolu
sont toujours appréciés.

***

Coq d'Eau : du 26 janvier 1933 au 13 février 1934

Coq de Bois : du 13 février 1945 au 1er février 1946

Coq de Feu : du 31 janvier 1957 au 17 février 1958

Coq de Terre : du 17 février 1969 au 5 février 1970

Coq de Métal : du 5 février 1981 au 24 janvier 1982

Coq d'Eau : du 23 janvier 1993 au 9 février 1994

Coq de Bois : du 9 février 2005 au 28 janvier 2006

Coq de Feu : du 28 janvier 2017 au 15 février 2018

La personnalité du Coq

Dans le cœur de tout natif du Coq réside un enthousiasme enfantin pour la vie. Tout l'intéresse et l'amuse. Face aux tâches routinières qui peuvent décourager la plupart des gens, il persiste à dégager le moindre aspect intéressant et agit toujours de manière originale. C'est un être authentique et fier, qui cultive une image de soi éblouissante. Si vous avez une critique à lui faire, oubliez ça, vous perdriez votre temps ; il ne vous entendra pas ou il croira que vous dites des folies. À cause de son intérêt pour le paraître, on peut également le croire superficiel, ce qui est une grave erreur, car c'est un signe particulièrement talentueux et ingénieux.

Loyal et franc, le Coq est avant tout l'ennemi du mensonge. Sa grande franchise s'accompagne souvent d'une attitude si directe qu'on le trouve presque brutal. Il ne craint rien de moins que d'appeler les choses par leur nom. Il est presque impossible de demander à un Coq de ne pas dire ce qu'il pense ou de parler peu : il n'a pratiquement pas besoin de respirer quand il se lance dans une tirade !

Le Coq est incroyablement débrouillard. Même s'il aime la compagnie, quand il fait face à l'adversité, il n'a peur de rien et il agit. Bien qu'il soit résistant en surface, c'est un être sensible en profondeur et sous des manières quelque peu vaniteuses et désinvoltes, il a un désir profond d'aider ses proches. Il est également un observateur très fin ; il est parfois si attentif aux détails que si vous déplacez quelque chose dans son espace, il le verra tout de suite. Comme il aime bien contrôler, ça pourrait faire des flammèches.

Du point de vue professionnel, le Coq peut mener de front plusieurs projets. Son ambition, sa capacité de travail ainsi que sa loyauté en font un partenaire ou un employé toujours très apprécié. On dit qu'aucun patron ne se réjouit de la démission d'un Coq. Malgré tout, il est très têtu et il considère avoir toujours raison. L'entêtement qui le caractérise offre toutefois un avantage : s'il doit accomplir une tâche, aussi humble soit-elle, il la magnifiera et la mènera à bon port. Il ne prend aucune responsabilité à la légère, mais il travaille mieux à ses heures et à son rythme, et se trouve heureux dans les situations qui n'exigent pas de se conformer à des règles et à des systèmes complexes. Il est la vitalité même !

En matière d'argent, le Coq excelle, c'est un administrateur hors pair. Discipliné, droit et consciencieux, il en vient souvent à vivre dans l'aisance. Sa prévoyance est notoire, ce qui ne l'empêche aucunement d'être généreux. S'il vit humblement, dites-vous que c'est là ce qu'il a choisi. Il n'a rien d'une victime.

Dans ses relations intimes, le Coq adore être utile aux autres. Comme ami ou collègue, vous serez choyé avec lui. Il est intègre et plein de sollicitude. Il adore la vie en société, ce qui en fait un être agréable à côtoyer. Comme il a un caractère obligeant, c'est un ami loyal ; si vous êtes un de ses proches, il vous protégera toujours. Si vous acceptez qu'il vous domine un peu et vous rappelle régulièrement qu'il avait prévu tout ce qui survient, vous apprécierez cet être lucide qui peut voir à long terme. Dans ses attirances, le Coq est blanc ou noir : il aime ou il déteste carrément ! En famille, il a un côté tyrannique qu'on lui pardonne en raison de sa loyauté. C'est un superviseur et un curieux ; il observera chacun de ses proches et s'empressera de faire part de ses conseils. Il voit au bien-être des gens qui l'entourent et à ce que la discipline soit respectée. En tant que parent, c'est un dominant qui a un sens profond du devoir. Il vit mieux quand il est sûr d'avoir fait tout en son pouvoir pour ses proches.

En amour, il essaie aussi de tout organiser. En fait, cette propension cache parfois une part d'insécurité intérieure, mais son dévouement et son dynamisme font oublier son impulsivité. Dans une situation de vie trop stable, le Coq peut s'ennuyer. Madame Coq aime parader, plaire ou entendre un compliment sur sa tenue ; elle prise la compagnie. Monsieur Coq aime la compagnie des gens et prend plaisir à taquiner. Tous les natifs du Coq, hommes et femmes, se plaisent infiniment dans les discussions et les débats. Par ailleurs, sous des dehors d'extraverti, le Coq serait-il utopiste et rêveur ? Nul ne le sait vraiment, mais c'est dans l'ordre du possible.

Ses rôles

- L'enfant est responsable, il souhaite contenter ses parents.
- Le parent est un bon pourvoyeur. Il veille à ce que les siens ne manquent de rien.
- L'amoureux est très dévoué, mais il n'est pas toujours très perspicace.
- L'ami ou le collègue est plein de sollicitude et généreux.
- En affaires, le Coq vérifie tout. Il accepte mal qu'on le contredise.
- Le patron abuse parfois de son autorité, mais il met toujours la main à la pâte.
- L'enseignant est exigeant et objectif.
- L'ennemi ne négocie pas, il faut donc faire appel à un tiers.

Ce qu'il représente

Son nom en chinois, *Uou*, symbolise la minutie et le perfectionnisme. En Chine, le Coq est associé au soleil. Pour les Chinois, le soleil était le royaume d'un Coq de Feu. Le chant du Coq souligne le lever, le zénith et le coucher du soleil ; il annonce donc l'avènement, l'apogée et la chute de la lumière en ce monde. Il possède également les qualités d'une poule. La légende veut qu'il ponde des œufs d'or, desquels naissent des poussins qui se distinguent des autres coqs.

Les éléments

Le Coq de Métal est ambitieux, courageux et tenace ; il atteint ses objectifs. L'élément Métal rend ce Coq plus que travailleur et un brin exigeant.

Le Coq d'Eau est intelligent, cultivé et perfectionniste. L'élément Eau, qui est en relation avec la sensibilité et les émotions, confère au natif une grande réceptivité, de l'imagination et le besoin d'harmonie. Ce Coq peut inspirer les masses.

Le Coq de Bois est énergique, enthousiaste et tolérant. L'élément Bois favorise l'expansion et l'épanouissement, le bonheur et la générosité. Le natif se caractérise par sa prévenance et sa prévoyance.

Le Coq de Feu est individualiste, dynamique et autoritaire. L'élément Feu lui confère chaleur, générosité, honnêteté et joie de vivre, mais il peut aussi le rendre trop autoritaire.

Le Coq de Terre est méthodique, organisé et prudent. L'élément Terre renforce son sens de la réalité et son esprit pratique. Le natif est travailleur et prudent.

Harmonies et conflits

++ Le Coq s'entend bien avec le Buffle et le Serpent. Tous trois introspectifs, secrets et stoïques, ils savent triompher de leurs concurrents. Le Coq et le Buffle ont beaucoup de points communs, mais le côté austère du Buffle rebute quelque peu le Coq. Avec le Serpent, l'union est conseillée, elle saura durer.

\+ Le Coq et le Dragon ont également une bonne entente. Ils sont tous deux très occupés et leur union est stable.

– Le Coq ne s'entend pas avec son semblable : ils sont tous deux trop autoritaires. La relation avec le Lièvre est également boiteuse. Ils sont incompatibles.

鷄

Prévisions pour le Coq

La plus haute forme de vertu, la seule que je supporte encore : la ferme détermination d'être utile.

Marguerite Yourcenar (*Mémoires d'Hadrien*)

Du 31 janvier 2014 au 18 février 2015

Cette année, vous voudrez faire vos preuves et montrer à tous (y compris à vous-même) ce dont vous êtes capable. Si vous ne le savez pas déjà, vous découvrirez que vous n'avez rien contre l'ambition, et vous irez de l'avant dans vos projets. Votre plus grande force résidera dans votre capacité de travail : quel que soit votre objectif, vous vous y consacrerez jusqu'à l'atteindre. Et si vous en avez plusieurs, vous serez très actif. Malgré toute cette action, il sera souhaitable que vous preniez le temps de ralentir un peu votre rythme de croisière. Prenez le temps de dresser un plan d'action en début d'année (eh oui, si vous avez le courage, par écrit), et attelez-vous patiemment à la tâche par la suite. En réalité, vous allez vivre une période où vous aurez besoin de vous illustrer, de faire la preuve de vos capacités, et pour réussir cela, retenez deux choses : adoptez un rythme de vie régulier et concentrez-vous sur vos activités.

Il est également question durant l'année qui vient d'évaluer où vous en êtes, de considérer le chemin parcouru afin de mieux percevoir ce qui est possible dans le futur. Il sera important de cultiver un certain optimisme et de ne pas vous juger sévèrement. Une maturation se fera, et il en découlera un sentiment de paix intérieure. Si vous souhaitez que l'on reconnaisse vos talents, il faut avant tout les reconnaître vous-même !

Vous ferez preuve d'une puissante créativité et d'une imagination vive, ce qui pourra être utile pour tout problème qu'il vous faudrait régler. N'empruntez pas les sentiers battus et n'écoutez pas trop les avis des gens (juste un peu tout de même), vous serez ainsi en mesure de trouver vos propres solutions à toute situation problématique. Ce pourrait être également une bonne année pour trouver votre vocation, votre mission, votre talent principal. Si vous le connaissez déjà, ne le lâchez plus, travaillez-y et vous ferez de grands pas. Si, au contraire, vous n'êtes pas certain de ce qui vous habite, prenez le temps d'y réfléchir.

Vous serez tenace cette année ; vous l'êtes tout le temps, mais cette qualité sera plus présente durant les mois qui viennent. Vous aurez également un bon sens de l'organisation. En plus, votre intégrité ne fera pas défaut. Donc, préparez-vous à une année dynamique, durant laquelle vous pourrez prendre la place qui vous revient.

Vos amours

Côté cœur, vous aurez une grande ouverture d'esprit et beaucoup d'amour à donner cette année. Vous serez compréhensif et aurez plaisir à égayer les jours de ceux que vous aimez. Grâce à votre esprit de collaboration, vous pourrez aider à régler toute difficulté et ferez en sorte d'aplanir les conflits latents. À ce sujet, vous parlerez franchement de ce que vous pensez, tout en écoutant bien l'être cher ou les gens que vous aimez.

Si vous espérez approfondir un lien intime, cela se fera naturellement, sans aucun effort. Votre attitude devant la vie sera assez directive, alors il faudra prendre le temps de vous arrêter et de freiner vos ardeurs pour ne pas tenter de diriger quand il est question d'aimer. Lâchez prise ! S'il vous arrive d'éprouver des sentiments de jalousie, vous aurez l'occasion d'y réfléchir et d'analyser la situation avec justesse. Votre esprit positif et l'ouverture sincère de votre cœur seront garants d'une heureuse année.

L'amour est quelque chose d'invisible
que l'on peut quand même voir.

Tom Rey

Célibataire, vous serez plus ouvert à une rencontre cette année, car vous vous sentirez plus stable intérieurement que l'an dernier. Si vous souhaitez faire une rencontre, sortez davantage et mettez-vous dans une position pour que cela survienne. Il n'est pas mauvais d'y penser, et de visualiser une situation heureuse, mais encore faut-il agir aussi en ce sens ! Vous ne serez pas pressé cependant ; si vous sentez que ce n'est pas encore la grande histoire, vous ne vous engagerez pas pour le simple plaisir de le faire. Vous pourriez rencontrer une personne qui a les mêmes goûts que vous et qui est dans un état psychologique en harmonie avec le vôtre. N'essayez pas de vous unir à quelqu'un qui ne vous apprécie pas à votre juste valeur. Si vous préférez rester célibataire, vous assumerez parfaitement ce choix cette année. Vous n'êtes obligé à rien, et les deux situations peuvent réserver bien des moments de bonheur. Même si le fait de vivre à deux est généralement mieux vu dans la société, il n'y a aucune raison de le faire si cela ne vous correspond pas. Ayez confiance en votre intuition, elle saura vous guider vers ce qui vous convient vraiment. Et surtout, soyez heureux tel que vous êtes.

En couple, vous serez stable et à l'écoute de la personne aimée. Toutefois, vous éprouverez une fois de temps en temps le besoin de sentir que l'être cher vous trouve extraordinaire et merveilleux ; s'il n'est pas très généreux de compliments, cela pourrait vous décevoir un peu. Parlez-en, cela changera vite. Dans tous les cas, votre couple évoluera cette année, car vous aurez l'allant nécessaire pour écouter l'autre. Il faut se rappeler qu'un couple est une entité qui se transforme au fil du temps, rien n'est immuable. Si certains aspects de votre vie amoureuse vous semblent moins intéressants, pourquoi ne pas faire des modifications ? Attention toutefois de ne pas imposer vos vues, car vous aurez de l'énergie et une certaine autorité naturelle, ce qui peut parfois obliger l'autre à avancer plus vite qu'il ne le souhaite.

En cultivant la patience et en gardant en tête et dans votre cœur des buts bien définis, vous devriez contribuer à ce que votre vie de couple s'épanouisse sous un beau soleil.

Cœur atout !

- C'est par votre sincérité et votre intégrité que vous atteindrez la meilleure communication en amour. Surtout, restez vous-même.
- Il faut parfois savoir persévérer, tout n'est pas toujours immédiatement comme on le souhaite. Soyez patient et un peu têtu, vous y arriverez.

Vos activités

Si vous le souhaitez, vous pourrez agir comme guide au sein de tout groupe durant l'année. Les gens auront tendance à venir vers vous et à vous demander conseil. Vous serez en contact avec des personnes nouvelles, et vous aurez du plaisir à créer des liens. Fuyez ce qui est ennuyeux, terne, sans nouveauté, trop ancien pour vous. Vous éprouverez un besoin profond d'évoluer et d'apprendre, et vous supporterez mal toute stagnation. Si vous vivez dans un milieu traditionnel, votre humeur en souffrira, vous pourriez vous sentir un peu aigri. Tout ce qui vous mettra en lien avec des gens originaux vous ravira. Votre charme naturel jouera en votre faveur dans toute percée que vous souhaitez faire. Surtout, si vous n'êtes plus tout jeune et avez tendance à vous dire que vous ne pouvez plus faire telle ou telle chose parce que vous êtes trop vieux (!), oubliez cela, car vous rajeunirez à force d'action cette année.

C'est une année très importante pour faire vos preuves dans un domaine qui vous intéresse fortement. Vous n'êtes pas assuré à 100 % de la réussite de vos projets, mais vous avancerez certainement vers la réalisation de ceux-ci. Si vous êtes actif professionnellement, on reconnaîtra votre expérience et vos talents ; si vous ne l'êtes pas ou plus, on fera tout de même appel à vos précieux conseils.

Votre enthousiasme sera parfois débordant. En prenant simplement conscience de certaines limites naturelles, vous apprendrez à ne pas les excéder. La chance veille sur vous, et ce que vous entreprendrez durant les prochains mois devrait se dérouler sans grandes difficultés. Profitez bien de cette relative facilité, et prenez conscience de vos multiples talents.

Les patrons, les collègues et les associations

En ce qui concerne vos rapports avec l'autorité, sachez qu'ils se révéleront plutôt équilibrés cette année. En fait, vous serez habité par un bon esprit de collaboration ; vous ne serez porté ni à vouloir tout diriger ni à vous opposer systématiquement à vos supérieurs hiérarchiques. S'il y a mésentente, discutez-en avec des proches, et des solutions vous seront données.

En ce qui concerne les collègues, vous vous entendrez avec ceux qui vous respectent et vous vous éloignerez des autres. Vous aurez une certaine propension à l'individualisme, et ce n'est pas une grande année pour les collaborations en équipe. Cela dit, même si chacun se consacre à ses tâches respectives, rien ne vous empêchera de collaborer plus étroitement avec une personne. Avant de vous associer, essayez de voir si les ententes seront durables. Ne prenez pas de décisions à l'aveuglette.

Si vos activités exigent le sens du service aux autres, vous serez dans de bonnes dispositions dans les mois à venir. Vous rendrez service sans pour autant oublier vos propres besoins. Par ailleurs, ne vous obligez pas à supporter des gens qui vous fatiguent ; éloignez-vous de ceux qui ne sont pas sur la même longueur d'onde que vous.

L'argent et les biens

Si vous n'avez pas trop dépensé l'an dernier, vous serez plus à l'aise au cours des prochains mois. Vous avez toutes les chances d'être favorisé en ce qui concerne les gains. Vous n'aurez pas trop d'efforts à fournir pour récolter votre dû, et même un peu plus ! D'ailleurs, vous pourriez conclure une transaction payante, car vous serez attentif à ce secteur de votre vie. Vous aurez un bon esprit pratique, ce qui est toujours un gage de réussite quand il est question de gestion financière.

Par ailleurs, vous aimerez bien et pourriez faire un ou des achats onéreux pour combler ce besoin. Si vous pouvez vous le permettre et si cela vous contente, pourquoi pas ? La seule chose à éviter : vous endetter. N'oubliez pas qu'une dette est un ennemi dans votre jardin. Vous serez volontaire et discipliné cette année, alors aucune inquiétude à y avoir : quelle que soit votre situation, vous veillerez au grain et vous en sortirez bien matériellement.

Une ou deux astuces pour réussir

- Si vous souhaitez changer votre façon de gérer vos biens, investissez du temps dans l'acquisition de connaissances dans ce domaine.
- N'oubliez pas non plus d'être généreux : équilibrez ce qui entre et ce qui sort.

La forme, la santé et les loisirs

Cette année, vous serez en forme, à la condition toutefois de garder du temps pour vous détendre. Faites des exercices et du sport, autrement vous aurez l'impression d'avoir moins d'énergie. Vous serez compétitif dans des loisirs qui se pratiquent à deux, les sports de raquette ou de combat par exemple. Il sera important que vous dépensiez votre énergie, et peut-être aussi une certaine forme d'agressivité dont il est bon de se libérer. En particulier si vous n'êtes pas trop actif physiquement (amoureusement), il est important de libérer votre corps de son trop-plein d'énergie. Si vous êtes du type solitaire, la marche (rapide) vous fera un bien énorme ; pensez que c'est même une forme de méditation.

Comme vous serez également très créatif cette année, accordez une place à cette part de vous en vous adonnant à des loisirs qui requièrent votre imagination. Pourquoi, par exemple, ne pas devenir peintre du dimanche ou apprendre à jouer d'un instrument de musique qui vous plaît particulièrement ? Un voyage pourrait vous tenter fortement, surtout si vous n'avez pas pu voyager l'an dernier. Votre curiosité pour l'inconnu sera encore une fois forte.

L'amitié

Vous serez plus heureux avec de nouveaux amis qu'avec d'anciennes relations durant les mois qui viennent. Vous aurez peu de propension à vous tourner vers le passé. Si vous avez des amis de longue date, vous aurez parfois l'impression qu'ils vous tirent en arrière. Le présent et le futur retiendront votre intérêt. Si vous avez fait des rencontres amicales l'an dernier, les liens vont se tisser encore plus cette année. Vous aurez tout de même un grand besoin de vous sentir indépendant, alors n'entrez pas en relation avec des gens possessifs. Vous aurez besoin de liberté, et des gens trop accaparants vous étoufferaient plutôt que de vous faire plaisir.

La famille

Votre vie de famille pourrait être franchement agréable cette année, et vous saurez aplanir tout problème. En fait, ce sera l'harmonie, à moins que quelqu'un ne soit découragé dans votre entourage ; si un proche vous semble triste, vous en prendrez soin. Votre bonne humeur mettra du baume sur les souffrances de tous. C'est le rôle de parent (que vous le soyez ou que vos parents soient toujours vivants) qui retiendra davantage votre attention : vous assurerez le bonheur de chacun et serez très responsable. Vous pourriez aussi vous rapprocher d'un cousin ou d'une cousine.

Ce qu'on aimera de vous cette année

On aimera votre tempérament volontaire et votre capacité de diriger. Vous saurez inspirer les gens et les soutenir dans quelque situation que ce soit.

Trois défis

- Mener sans devenir trop directif sera votre principal défi.
- Prendre votre place, en particulier en ce qui concerne vos activités et votre travail. Faites voir qui vous êtes et quelles sont vos capacités.
- Lâcher prise : il faut savoir se reposer et s'amuser, ne l'oubliez pas.

L'année selon votre élément

Coq de Métal

Voilà une bonne période pour obtenir de l'avancement au travail, pour faire valoir vos capacités et pour augmenter vos connaissances. Vous vous sentirez plus mûr cette année et aurez le soutien des gens de votre entourage dans vos projets. Il y a eu un grand tournant au cours des deux dernières années, vous pourrez maintenant bâtir sur un terrain solide. Faites ce qui est en votre pouvoir pour évoluer vers ce que vous désirez, la chance vous accompagne, n'en doutez pas. Dans votre vie intime, ce que vous construisez actuellement sera durable.

Coq d'Eau

Vous êtes à l'orée d'un changement majeur de perspective sur la vie et vous en êtes parfaitement conscient, ce qui facilitera tout. Prenez le temps de réfléchir à ce que vous aimeriez vivre durant les prochaines années. Ne prenez pas de décision hâtive, mais pensez-y et parlez-en avec des gens qui ont une existence différente de la vôtre. Vous serez affable et très estimé de tous. On apprécie beaucoup qui vous êtes et on vous le prouvera en abondance cette année. Votre caractère souple associé à une volonté forte vous mèneront là où vous serez heureux. Une année pleine de charme.

Coq de Bois

Une année tout confort pourrait bien vous échoir si c'est cela que vous désirez. Rien ni personne ne viendra se mettre en travers de votre route. Vous aurez le champ libre et le soutien de tous dans vos divers projets. Intéressez-vous à tout ce qui vous entoure, apprenez encore et encore : plus vous serez actif, plus vous serez heureux. Faites des exercices aussi, et n'allez pas croire une seconde que vous pourriez manquer d'énergie. Une belle année s'annonce, une année où la raison et les émotions se baladeront sur le même chemin.

Coq de Feu

Il y a peut-être eu de grands changements dans votre vie durant ces dernières années. Si c'est le cas, celle-ci en sera une de nouvel équilibre. Vous cultiverez votre bonheur comme le jardinier son jardin, et, croyez-moi, vous aurez de belles fleurs et de bons légumes. Vous avez semé, il est temps de récolter. Malgré cela, vous ne vous reposerez pas sur vos lauriers car votre année promet d'être occupée. Vous pourrez faire vos preuves assez aisément. Ce sera une période passionnante pour vous. Et si parfois au cours des prochains mois vous sentez que le temps passe trop vite, faites donc une entorse au quotidien en vous évadant vers des cieux cléments. Il est temps de vivre la vie que vous souhaitez.

Coq de Terre

Vous vous sentirez en harmonie avec tous cette année. En ne luttant pas, en exprimant simplement ce que vous pensez, en persévérant tranquillement dans vos projets, vous avancerez d'un pas sûr et réaliserez dans quelques mois que, mine de rien, vous vous êtes frayé un chemin, celui que vous souhaitiez prendre. En famille, soyez à l'écoute de chacun, prenez le temps de vous détendre et de vous amuser. Mettez cela au cœur de vos priorités. Votre approche réaliste servira beaucoup aux autres, à vos proches, aux collègues. Faites valoir vos idées sans rien forcer, elles seront prises en compte. On vous entendra.

Au fil des mois

Soyez méthodique en *janvier*, voyez à tout, ne vous perdez pas en rêveries. Intérieurement et sentimentalement, vous vous questionnerez peut-être sur votre situation et sur votre façon d'être avec la personne aimée. Si votre partenaire ou vous avez pris de mauvais plis, il sera possible d'en parler ouvertement, mais prenez tout de même des gants blancs. Soyez attentif, on le sera avec vous. Des questions d'argent pourraient retenir votre attention. Soyez réaliste, voyez de quelle manière vous pouvez réaliser vos rêves. Si une dépense importante vous tente, réfléchissez-y. Durant les deux prochains mois, des rivalités pourraient faire surface. Il vaudrait mieux garder pour vous certaines opinions et conserver une attitude paisible.

Vous découvrirez le goût d'être avec les gens en *février* et vous rendrez compte que votre entourage se trouve également bien en votre compagnie. Votre vie sentimentale en particulier sera sous de bons augures. Gardez-vous d'une petite tendance à la possessivité et du fait de tenir pour acquise la personne aimée, et vous vivrez un mois tout à fait heureux. Célibataire, vous pourriez rêver au lieu d'agir, mais ce n'est pas grave. Si vous n'avez pas fait de rencontre déterminante, patientez et voyez vos amis en attendant. Votre sens des communications sera vraiment au sommet ce mois-ci. Vous serez tout en délicatesse et en respect, vous ne cultiverez pas la frustration des proches si leurs opinions diffèrent des vôtres. Physiquement, vous aurez passablement d'énergie, mais vous serez peut-être un peu brusque. Allez lentement en tout, ne risquez pas de vous blesser.

Une heureuse surprise pourrait survenir en *mars*. Vous serez ravi ou, à tout le moins, étonné de ce qu'un proche vit. Bon moment également pour apporter des changements dans votre demeure. S'il est temps de rénover ou de changer de décor, mettez la main à la pâte, vous aurez le cœur à cela et un bon sens de l'organisation. Côté cœur, vous pourriez vivre un petit flirt et quelques bons moments durant les semaines qui viennent. Vous vous amuserez de tout et de rien. Prenez la vie comme un jeu, cela vous fera du bien, mais restez tout de même fidèle à vos valeurs. Sachez aussi que vous ne serez pas à l'abri des querelles durant quelque temps et que votre agressivité pourrait apparaître là où elle n'a pas sa raison d'être. La communication avec vos proches sera vraiment intéressante en cette période, vous en arriverez à bien vous comprendre. Au travail, démêlez certaines situations complexes, vous en aurez les capacités.

En *avril*, sociable, à l'écoute des autres en même temps que capable de vous affirmer avec simplicité, vous réaliserez que des situations qui vous semblaient difficiles sont en réalité tout à fait vivables. Vous voilà maître de votre jeu et actif, pas tendu pour un sou, sauf peut-être avec une ou deux personnes. Les relations familiales seront harmonieuses : vous réaliserez que vous avez les mêmes champs d'intérêt et surtout beaucoup de goûts en commun. Vous aurez par ailleurs la bougeotte, et il ne serait pas étonnant que le désir de déménager vous prenne ; laissez passer un peu de temps, cette idée pourrait fondre comme neige au soleil d'ici quelques semaines. En cette période, vous serez davantage intéressé par les loisirs, vos enfants, les activités créatives, les arts. Le travail, d'accord, mais il vaudra mieux qu'il ne soit pas routinier et ennuyant.

La chance pourrait vous sourire en amour au mois de *mai*. Vous serez en forme et rempli de joie en cette belle saison, cela transparaîtra : vous plairez. En couple ? Vous pourriez vivre une seconde lune de miel, et ce sera une bonne idée de passer du temps ensemble à ne rien faire plutôt que de vous amuser. Si vous pouvez vous offrir une escapade, sautez sur l'occasion, vous y prendrez beaucoup de plaisir et vous vous ressourcerez. Dans vos activités, vous aurez des idées ingénieuses et surtout très imaginatives, que vous pourrez mettre en application grâce à l'appui d'amis. Quant à vos finances personnelles, soyez attentif à vos affaires. Si vous êtes en association avec quelqu'un, voyez à ce que tout soit clair. Vous pourriez faire des choix différents dans les prochaines semaines. Soyez méthodique et vigilant. Rendez service ; en étant utile, vous vous sentirez tout à fait bien dans votre peau.

Le cycle que vous vivrez en *juin* favorise clairement vos amitiés et toutes les activités d'équipe. Vous êtes en mesure de prendre la place qui vous revient sans pour autant empiéter sur le territoire de vos collègues, amis et proches en général. Côté cœur, si vous êtes célibataire, une personne de votre milieu de travail pourrait vous surprendre et soulever votre intérêt. Vous serez heureusement étonné d'un rapprochement. L'être aimé pourrait par ailleurs vous guider par le bout du nez, car vous serez plus tenté de suivre que de mener. Des questions de santé pourraient retenir votre attention dans les prochaines semaines ; le moment serait propice à une remise en forme par l'exercice. Faites de la bicyclette ou de longues randonnées, la saison s'y prête. En matière d'argent, investissez ou dépensez pour des objets de valeur.

La solitude vous pèserait en *juillet* ; restez en compagnie des proches et des amis, et surtout sortez autant que vous le pourrez. Célibataire ou non, vous souhaiterez vous fondre dans l'être aimé en cette période estivale, et vous aurez toutes les chances de bonheur en amour. En fait, vous serez tendre comme du bon pain, charmant et charmé. Voilà une saison faste pour vos amours, ne passez pas à côté des bons moments. Les voyageurs parmi vous se trouveront tout à fait bien là où ils sont ; vous serez curieux et plein de ressources imaginatives. Si vous vivez la routine habituelle, vous aurez des idées nouvelles sur tout et le goût de moments trépidants. Voici une saison haute en couleur, vous aurez un sentiment presque religieux de la vie.

En ce mois d'*août*, le soleil vous rendra très chaleureux, tendre et même d'une sensualité à fleur de peau. Vous apprécierez toutes les douceurs. Vous ferez également un voyageur hors pair : vous aurez la touche pour être là où il faut au bon moment. Si vous avez pris la peine de planifier les vacances, vous ne le regretterez pas. Si vous êtes à l'étranger, vous apprendrez beaucoup sur ce qui se passe ailleurs. Ce n'est pas pour vous le temps des vacances ? Si vous êtes au travail, vous serez stable, méthodique et pas rêveur pour deux sous. Vous pourrez d'ailleurs faire évoluer assez facilement une situation vers ce que vous souhaitez. Il pourrait y avoir des défis à relever, peut-être même un conflit à régler. Ne vous laissez pas démonter, agissez posément, et maintenez le cap. Si vous ressentez une certaine nervosité, faites des sports de saison.

En *septembre*, vous serez occupé et peut-être même passionné par ce que vous faites. Dans tous les cas, si on vous propose un défi, ne reculez pas : vous aurez le goût de vous mesurer aux autres et de vous dépasser. Si vous êtes à la retraite, vous pourriez vous intéresser (beaucoup) à un nouveau passe-temps, et si vous occupez un emploi que vous considérez comme des plus ordinaires, vous lui découvrirez des aspects intéressants durant les prochaines semaines. Bon temps également pour préciser ce que vous souhaitez accomplir prochainement et pour ajuster votre emploi du temps de manière à réaliser un projet. Côté cœur, vous serez enjoué et sociable, mais peut-être n'aurez-vous pas le goût de vivre trop d'intimité. Votre partenaire pourrait en souffrir un peu si vous êtes distant. Intérieurement, vous vous sentirez porté par un espoir, par un projet, par un rêve dont vous parlez peu. Peaufinez-le, il deviendra réel.

Si vous travaillez en équipe en *octobre* ou si vous faites partie d'un groupe de loisirs, vous serez un élément rassembleur durant les prochaines semaines. Très sociable, vous aurez du plaisir dans toute discussion, conversation, rencontre, réunion. Cela dit, vous serez peut-être plus impulsif que d'habitude et certaines de vos réactions pourraient vous étonner vous-même. Prenez le temps de vous arrêter sur vos objectifs avant d'agir. Vous vous distinguerez en particulier par votre générosité envers vos amis, et surtout par votre capacité de démontrer la chaleur de vos sentiments aux gens que vous appréciez et aimez. En amour, vous serez tout à la fois transporté, chaleureux et très émotif. Une part de votre être ne sera pas vraiment réaliste, tâchez de ne pas imaginer des problèmes là où il n'y en a pas.

En *novembre*, vous réfléchirez à votre avenir et à vos objectifs de vie. Peut-être en changerez-vous ? Vous serez non seulement en réflexion, mais peut-être aussi pas tout à fait logique. Laissez-vous guider par vos sentiments, vos intuitions, votre imagination, mais ne perdez pas de vue un certain réalisme. Cette inclinaison à réfléchir, ce goût et peut-être ce besoin de faire un tour d'horizon de votre situation, de voir où vous en êtes, se révélera riche en enseignements. Dans les faits, si vous prenez le temps de réfléchir un bon coup à votre vie, vous pourrez mieux voir ce qui vous rend bien et ce que vous aimez moins. Vous pourriez aussi être passablement content des acquis et être en mesure de dresser un bilan positif de votre situation. En amour, vous ne serez pas d'une cohérence à toute épreuve, mais votre grande sensibilité pourrait vous rapprocher considérablement de l'être aimé. Au travail et dans vos activités, terminez certaines tâches avant d'en commencer une autre. Si vous êtes au début d'un projet, prenez soin d'en considérer tous les aspects avant d'agir. Pour votre santé, reposez-vous beaucoup le soir venu.

Au mois de *décembre*, vous aurez le vent dans les voiles, le goût d'agir, le désir de mettre en branle des projets, de la curiosité pour tout ce qui vous entoure, les gens comme les activités. Même si vous appréciez les sorties qu'on vous propose, les invitations qu'on vous lance, prenez le temps de choisir vos priorités, car en cette fin d'année vous ne serez pas à l'abri de la fatigue. Prenez le temps de vous occuper de vous du point de vue de l'apparence : n'achetez pas que des cadeaux de Noël aux autres, profitez-en pour vous gâter. Côté cœur, c'est vous qui mènerez le bal en cette saison. On sera prêt à beaucoup pour vous faire plaisir. Excellents moments en famille: aimez vos proches, dites-le et montrez-le. Sachez que vous vivrez bien des succès et des amitiés fortes l'an prochain.

Le Chien

Vous êtes loyal, endurant et un brin inquiet.

En un clin d'œil, vous vous formez
une impression juste sur les gens.

Quand vous donnez votre confiance,
c'est pour la vie.

***

Chien de Bois : du 14 février 1934 au 3 février 1935

Chien de Feu : du 2 février 1946 au 21 janvier 1947

Chien de Terre : du 18 février 1958 au 7 février 1959

Chien de Métal : du 6 février 1970 au 26 janvier 1971

Chien d'Eau : du 25 janvier 1982 au 12 février 1983

Chien de Bois : du 10 février 1994 au 30 janvier 1995

Chien de Feu : du 29 janvier 2006 au 17 février 2007

Chien de Terre : du 16 février 2018 au 4 février 2019

La personnalité du Chien

Le Chien est avant tout fidèle, affectueux et conservateur. Comme c'est un partisan des relations à long terme, il n'aime pas beaucoup les surprises : elles l'énervent plus qu'autre chose ! D'un abord aimable, poli et même docile, il développe sa confiance avec le temps, tout en considérant toujours les inconnus comme des ennemis potentiels. Tout ce qui ne relève pas de l'habituel peut susciter sa nervosité, donc sa suspicion. Toutefois, quand il adopte quelqu'un, c'est pour longtemps : vous ne perdrez pas un tel ami !

Le natif du Chien est vigilant. Il observe. Il donne l'impression d'être le gardien du monde. Il est généreux : si vous lui demandez un service, il vous le rendra avec plaisir. S'il sent que vous êtes dans le besoin, il s'empressera de vous réconforter. En fait, il aime être utile, et il cherche toujours une faille, un défaut, pour des fins de réparation. Il possède un grand sens de la justice et il fera tout en son pouvoir pour la préserver ou pour défendre ceux qui en sont privés. Il peut monter au front pour les idées qu'il croit justes. Il est aussi très sensible aux atmosphères : on est froid à son égard, il deviendra froid à son tour. Sa température émotive est un bon baromètre de l'environnement. On pourrait le croire fragile ou maussade, c'est simplement qu'il est sensible à l'ambiance.

Dans son travail, le natif du Chien ne se contente pas de résultats moyens. Il veut exceller. Appliqué, capable de remettre son ouvrage cent fois sur le métier, acceptant les critiques si elles sont constructives, il réussit généralement très bien dans quelque domaine qu'il choisisse. Intérieurement, il n'est pourtant pas très sûr de lui. Il pourrait aimer la célébrité, mais le trac se révèle souvent trop puissant. De plus, le Chien n'est pas à proprement parler un innovateur. Il observera ce qui se passe, il attendra qu'un nouveau système ait fait ses preuves, puis il emboîtera le pas. Ce n'est pas un solitaire, c'est un grégaire. Lorsqu'il trouve sa voie ou les gens qui ont besoin de lui, il révèle son enthousiasme et sa joie de vivre. C'est donc un très bon coéquipier. Il est également fier: la présentation compte, l'apparence a de l'importance. Sans en devenir obsédé, il désire que ce qu'il propose soit toujours d'une très grande qualité. Il se préoccupe de ce qu'on pense de lui; on dit même qu'il peut se le demander plusieurs fois par jour. Sa vie sociale et sa carrière sont planifiées. Il aime tout prévoir. C'est un méticuleux et, comme tous les gens très minutieux, il lui arrive de se perdre dans les détails.

Le natif du Chien a un côté pessimiste: il est toujours conscient des luttes qui se trament, ce qui l'amène parfois à voir la vie en noir. Son aptitude à l'analyse fait qu'on le perçoit parfois comme un cynique. Il est vrai qu'il ne manque pas de mordant ni de lucidité. Il peut également être un peu précieux; il s'offensera d'un détail, fera facilement du zèle, fera des remarques qu'il pourrait simplement taire. Mais sous des dehors parfois cinglants, le Chien est un sensible. Il se cachera pour panser ses blessures s'il a mal.

En matière d'argent et de biens, le Chien n'est pas un dépensier ni un gaspilleur, mais ça ne fait pas de lui un économe. Il a des goûts généralement simples, mais il est « classe ». Il dépensera assez peu pour lui-même et davantage pour ceux qu'il aime. Pourtant, sans que la question des biens matériels soit de première importance, il tire généralement bien son épingle du jeu, étant plutôt équilibré dans ce secteur.

Avec les gens qui lui inspirent confiance, le Chien est enjoué. Il adore s'amuser, retrouver des amis, fêter et faire le fanfaron. Il a besoin de savoir qu'il compte pour beaucoup dans la vie de ses proches. Il ne prise pas la solitude, mais il a un côté casanier: pour se sentir à l'aise ou pour se protéger, il s'entoure de ses proches ou se cache dans sa niche. Lorsqu'il devient responsable de quelqu'un, il n'accepte aucune invasion de son territoire. Il est le meilleur protecteur que l'on puisse avoir.

En amour, le Chien choisit un partenaire selon son apparence, ses manières et son style de vie. La femme du signe du Chien est ambitieuse. Un partenaire qui ne lui convient pas lui sapera toute son énergie. Elle a avantage à s'entourer de gens qui la respectent et l'aiment, et à vivre dans un environnement plaisant pour devenir ce qu'elle est profondément. L'homme du signe du Chien est inquiet de nature. Il fera n'importe quoi pour quelqu'un qu'il aime. C'est un excellent partenaire, une fois qu'on a gagné sa confiance. Si vous aimez un natif du Chien, n'oubliez jamais qu'il est sensible aux paroles encourageantes, qu'il soit homme ou femme. Sans soutien, il pourrait se croire fait pour rester dans l'ombre.

Ses rôles

- L'enfant est enthousiaste et ludique.
- Le parent prend son rôle au sérieux. Il est ouvert d'esprit et pratique.
- L'amoureux s'engage lentement. Il place ensuite l'être aimé sur un piédestal.
- L'ami ou le collègue est affable. Il s'entend avec beaucoup de monde.
- En affaires, il est digne de confiance.
- Le patron est juste.
- L'enseignant est avisé et de bon conseil.
- L'ennemi ne cherche pas la bisbille.

Ce qu'il représente

Dans les mythes chinois, le Chien céleste est un chasseur de démons. On dit qu'il a un sixième sens qui lui permet de percevoir les démons et de les chasser avant qu'ils nuisent aux hommes. Son aboiement est également associé au grondement du tonnerre. Il peut donc annoncer (ou prévoir) une période troublée.

Les éléments

Le Chien de Métal est audacieux, ambitieux et discipliné. L'élément Métal peut lui donner un caractère dur. Le Chien de Métal a de fortes convictions, mais il peut être très critique.

Le Chien d'Eau est intuitif, réceptif et compréhensif. L'élément Eau, en relation avec la sensibilité et les émotions, lui confère une grande réceptivité et la capacité de faire des concessions.

Le Chien de Bois est sociable, équilibré, raffiné et fidèle. L'élément Bois favorise chez lui l'expansion et l'épanouissement, le bonheur et la générosité. Le natif se caractérise par sa générosité.

Le Chien de Feu est idéaliste, honnête et enthousiaste, et il a de la chance. L'élément Feu le pousse à s'extérioriser. Il confère chaleur, générosité et joie de vivre au natif. Il peut rendre ce Chien moins fidèle à ses principes que les autres.

Le Chien de Terre est pragmatique, prudent et bon conseiller. L'élément Terre renforce son sens de la réalité et son esprit pratique. Les qualités du Chien renforcées par l'élément Terre : honnêteté et constance.

Harmonies et conflits

++ Le Chien, le Tigre et le Cheval s'entendent très bien. Ils sont tous trois protecteurs et prônent la justice. Ils ont une nature altruiste. Le Chien et le Tigre forment un couple heureux. Le Chien et le Cheval trouvent l'équilibre, leurs défauts étant complémentaires.

\+ Le Chien s'entend avec le Singe, car ils se stimulent l'un l'autre. Il est également à l'aise avec le Lièvre. Le Serpent et le Chien s'entendent en amitié. Le Chien et le Rat s'admirent mutuellement.

– Le Chien et le Dragon sont trop différents et trop méfiants pour être heureux ensemble, à moins d'avoir des ascendants qui s'entendent.

狗

Prévisions pour le Chien

La gratitude peut transformer votre routine en jours de fête.

William Arthur Ward

Du 31 janvier 2014 au 18 février 2015

Votre année sera sous le signe des voyages, des apprentissages et d'une ouverture sur le monde. Vous ne verrez rien petitement au cours des prochains mois et vous réfléchirez beaucoup à votre façon de vivre. Vous vous ferez philosophe, et tout vous semblera une aventure.

Vous pourriez exercer de nouvelles fonctions ou vous lancer dans un projet à long terme. Quoi que vous choisissiez ou quoi que l'on vous offre, vous vous passionnerez pour vos activités. Si les dernières années ont été un peu difficiles selon vous, vous pourrez leur dire adieu : les prochaines se révéleront plus simples et plus en accord avec vos valeurs. Tout sera plus facile. Une chose est certaine : vous serez attiré par ce qui vient de loin. Vous aimerez ce qui vous est étranger et déplorerez l'existence de la mondialisation, qui affaiblit les différences culturelles.

Vous aurez une forte pensée abstraite et serez capable de juger des situations avec un aplomb peu commun. Plus conscient des gens qui vous entourent, vous les comprendrez mieux. Idéaliste, vous voudrez changer le monde ou, à tout le moins, le visiter ! Eh oui, ce serait une bonne année pour voyager. Le ferez-vous ? Oui, bien sûr, mais à la condition de vous libérer de certaines craintes. Votre vie spirituelle pourrait également vous tenir occupé, auquel cas vous voyagerez mentalement. Au cours des prochains mois, vous aurez une propension à penser au sens de la vie et pourriez même modifier vos croyances. Vous irez clairement vers ce qui vous intéresse. Loin de vous tout ce qui vous ennuie !

Si vos activités ne vous passionnent plus, il sera temps de découvrir autre chose. Il n'est pas toujours facile de réaliser que ce qui nous semblait essentiel hier ne représente plus aujourd'hui aucune valeur à nos yeux, mais si cela se produit, vous verrez qu'en fin de compte c'est une bonne chose : pour qu'une porte s'ouvre, il faut parfois qu'une autre se ferme.

Vos amours

Vous aurez une approche équilibrée, et vous vivrez vos amours sur un mode raisonnable, n'exigeant rien d'impossible de la part de l'être aimé ou des gens qui vous entourent. Vos relations intimes seront chaleureuses, mais peut-être aurez-vous une approche très traditionnelle, ce qui pourrait vous priver de certains bonheurs. Par ailleurs, vous serez loyal, candide, fiable, ce qui pourra entretenir l'harmonie dans vos relations. Vous aurez aussi une grande capacité d'analyse et saurez exactement où en est votre intimité.

Il est possible que vous vous sentiez moins passionné que vous ne l'avez déjà été, car bien d'autres domaines de votre vie retiendront votre attention. Ce n'est pas que l'amour passera nécessairement au second plan, mais pour certains d'entre vous, ce sera ainsi. Si vous êtes tiède et que la personne aimée n'est pas dans le même état que vous, il pourrait y avoir des flammèches. En étant à la fois franc et sensible à l'autre, vous verrez que des conversations éclairciront tout.

La grande affaire et la seule qu'on doive avoir,
c'est de vivre heureux.

Voltaire

En couple, vous vous sentirez en confiance, car vous saurez qu'on vous connaît, qu'on vous respecte, qu'on vous aime tel que vous êtes. Il faudra tout de même mettre du piquant dans votre vie parce que vous vous ennuierez si votre quotidien est trop répétitif. Ne vous contentez pas de la routine. Par ailleurs, l'être aimé se sentira peut-être délaissé à quelques reprises durant l'année, rassurez-le. Si vous êtes en couple depuis peu, vous aurez tout intérêt à partager des activités communes. Apprendre quelque chose ensemble (une langue, un sport) aurait tout pour vous rapprocher. Vous réaliserez aussi – jeune ou vieux couple – que le fait de partager des croyances communes et d'avoir des valeurs semblables vous unit grandement. Nul besoin de calquer vos croyances sur l'autre ; cependant, laissez la vie s'exprimer et vous verrez ce qu'il en est. Cet aspect des choses prendra de l'importance.

Si vous êtes *célibataire*, il y aura de l'action dans les mois à venir, surtout si vous vous rapprochez d'un ou d'une étrangère. En fait, vous n'aurez aucun désir de vous trouver en terrain connu ; plus vous serez dépaysé, plus vous serez heureux ! Paradoxalement, vous aimerez bien cultiver vos petites habitudes au quotidien, et en raison de cela vous pourriez être tenté de rester célibataire. Dans tous les cas, soyez sûr que les gens originaux et qui ont quelque chose à dire vous plairont. Vous pourriez faire une rencontre au cours d'un voyage ou en assistant à un cours. Sortez de votre quotidien si vous désirez faire une rencontre, et restez-y si vous préférez demeurer célibataire.

Cœur atout !

- Vous n'aurez pas peur de grand-chose cette année. Vous irez vers les gens qui vous plaisent et avec qui vous avez des affinités.
- Pour être heureux en amour, apprenez quelque chose avec l'être aimé. Fixez-vous un but commun.

Vos activités

Du côté de vos activités, les prochains mois se révéleront constructifs, en particulier si vous envisagez de vous spécialiser ou de vous intéresser en profondeur à un sujet précis. Vous constaterez que vous avez parcouru un grand bout de chemin, mais vous voudrez aller plus loin. Les personnes qui font des études seront particulièrement vives et alertes. Tous les natifs du Chien auront avantage à se lancer dans de nouveaux apprentissages.

Vous serez curieux, actif et n'apprécierez que ce qui se construit durablement. Vous verrez également qu'en modifiant certaines habitudes vous serez encore plus efficace que vous ne l'étiez auparavant dans le cadre de votre emploi ou de vos activités. Il sera aussi important de communiquer avec les gens. En nombreuse compagnie, vous ne serez pas très à l'aise, mais en petite équipe, vous fonctionnerez bien.

Exercez votre créativité et sortez des sentiers battus, car cela vous réussira. Si vous avez une attirance pour les arts, vous pourriez vous lancer dans un projet au cours de l'année. Cela vous donnerait l'occasion de vivre sur un autre plan, d'améliorer vos connaissances et même de faire connaître votre talent autour de vous. Tout ce qui requiert l'esprit d'aventure vous réussira.

Les patrons, les collègues et les associations

Si vous êtes patron, vous insufflerez aux gens le goût du travail bien fait et tout ce que vous toucherez aura une grande qualité. Par ailleurs, vous vous entendrez mieux avec les gens autonomes et n'aurez pas le goût de diriger de façon autoritaire. Avec vos patrons, vous souhaiterez que l'on respecte votre autonomie. Si vous êtes à votre compte ou à la retraite, vous ne vous ennuierez pas seul. Vous pourriez vous passionner pour un nouveau domaine. Les rapports avec les collègues seront bons, à condition qu'ils soient relativement distants. Ce n'est pas une grande année pour les associations, à moins de vous joindre à une personne qui a les mêmes valeurs que vous. À vérifier avant de plonger !

L'argent et les biens

Voici une année qui s'annonce plutôt stable du point de vue de vos avoirs. Prenez soin de prévoir certaines dépenses, faites des provisions et, surtout, ne dépensez pas plus que prévu. Il ne s'agit pas de devenir trop près de vos sous, mais simplement de regarder les choses en face et de ne pas dépenser au-delà de vos capacités. Il est possible que vous effectuiez une dépense assez importante pour un voyage. Si cela ne vous endette pas outre mesure, ce serait une bonne idée, car vous aurez un grand besoin de découvrir des horizons nouveaux et de vous ressourcer.

Une bonne période viendra en avril, où vous dépenserez peut-être beaucoup, mais aurez également l'occasion de faire des gains. Par la suite, votre situation sera stable, vous saurez bien vous organiser. Si des enfants ont besoin de votre aide, ne les négligez pas, mais ne les gâtez pas trop non plus. Quoi qu'il en soit, vous réfléchirez au sens que vous donnez à l'argent cette année, et vous vous positionnerez sur cette question importante.

Une ou deux astuces pour réussir

- Vous saurez parfaitement bien limiter vos besoins si cela est nécessaire.
- Si vous faites un achat important, qu'il soit durable.

La forme, la santé et les loisirs

Il est possible que votre énergie aille en dents de scie au cours de la prochaine année. Il vaudrait mieux que vous ayez un mode de vie plutôt régulier et que vous n'alliez pas au-delà de vos forces, tout en vous nourrissant bien et en dormant ni trop ni trop peu. Vous aurez tendance à rêver durant les prochains mois et, pour cela, vous pourriez être porté à trop dormir. Eh oui, c'est possible, même si cela reste moins fréquent que de ne pas dormir suffisamment. Il faudra vous pencher sur la question du sommeil si vous sentez que celui-ci n'est pas de la meilleure qualité. Il existe une panoplie d'ouvrages sur le sujet et une foule de trucs qui pourront vous aider.

Si vous avez à cœur votre santé, vous pourrez vous absorber dans des activités toutes plus captivantes les unes que les autres. Votre curiosité sera sans bornes, alors allez-y, faites ce qui vous intéresse et amusez-vous, c'est l'année idéale pour cela. Encore une fois, je me répète, privilégiez ce qui vous est étranger et pensez à voyager. C'est une excellente année pour vous dépayser. Il sera important que vous soyez stimulé.

Cela dit, vous aurez également du plaisir à cultiver votre jardin secret. Prenez le temps de vous réserver des moments de solitude à la maison, cela ne vous nuira pas, bien au contraire. Cette année, cultivez l'équilibre entre les sorties et les soirées tranquilles à la maison, et vous serez bien.

L'amitié

Vous pourriez faire quelques rencontres amicales durant les prochains mois, en particulier de gens qui sont nés à l'étranger. Vous préférerez avoir un cercle d'amis restreint et loyal que trop nombreux. Vous ferez bien la distinction entre un ami et une connaissance. Si vous commencez à fréquenter des gens nouveaux, ce sera sur la base d'un dépaysement. Vous aimerez qu'on vous étonne. Vous apprécierez que vos amis vous donnent un peu de leur savoir, et ceux qui sont cultivés auront votre préférence.

La famille

Votre rôle au sein de la famille sera stable ; il est possible qu'on se confie beaucoup à vous au cours des prochains mois. À tel point d'ailleurs que cela pourrait vous ennuyer ; si c'est le cas, dites-le gentiment, mais comprenez aussi que parfois ce rôle nous échoie. En quelque sorte, c'est peut-être simplement votre tour. Vous serez attentif aux aînés, qu'ils soient de votre famille ou non, vous en prendrez soin. Quant aux plus jeunes, vous aimerez leur compagnie, car leur présence vous fera voir la vie autrement. Si des changements majeurs surviennent, vous aurez tout ce qu'il faut pour vous adapter à la situation. Durant toute l'année, vous aurez une approche compréhensive, presque sage, et cela ne manquera pas de calmer les gens autour de vous.

Ce qu'on aimera de vous cette année

- On aimera votre ouverture d'esprit, votre capacité de réflexion et votre propension à écouter les gens. Vous serez très intègre, ce qui est toujours appréciable.
- Votre curiosité sera à son maximum et vous vivrez des échanges enrichissants avec les gens de votre entourage.

Trois défis

- Affirmez-vous davantage; nul besoin d'être agressif, dites simplement vos besoins et vos désirs. On vous entendra.
- Libérez-vous de certaines peurs liées à votre passé. Prenez le temps de réfléchir à ces questions, car plus on réagit avec nos lunettes d'antan, moins on est juste.
- Retenez cette phrase de Marcel Proust: «Le véritable voyage de découverte ne consiste pas à chercher de nouveaux paysages, mais à avoir de nouveaux yeux.»

L'année selon votre élément

Chien de Métal

Vous vous sentirez parfois trop énergique par rapport à l'ambiance générale; pourquoi ne pas penser à ralentir votre rythme? C'est un bon cru tout de même, car vous atteindrez certains objectifs que vous vous étiez fixés. Bonne période également pour commencer une activité à propos de laquelle vous avez très peu de connaissances. Vous verrez que vous êtes capable d'apprendre rapidement. Fuyez tout ce qui est ennuyeux, les gens comme les situations. Profitez-en pour explorer le monde ou votre environnement. Vous n'aurez aucune fatigue accumulée, sauf si vous n'exercez pas encore le métier qui vous va. Bonne année pour récupérer du temps perdu. La famille vous ressourcera. Vos amours seront précieux.

Chien d'Eau

Vous irez votre petit bonhomme de chemin toute l'année sans vous en faire avec quoi que ce soit, et pour cause. Tout ira bien dans votre vie. Votre rythme sera bon: ni trop lent ni trop rapide. Vos idées seront claires. Vos sentiments seront tendres, ouverts... bref, vous aurez une attitude si calme et si ouverte que toutes les portes s'ouvriront devant vous. Un très bon cru s'annonce. Vous n'aurez pas de conflit majeur avec qui que ce soit et si jamais des mésententes émergent, vous aurez l'intériorité nécessaire pour voir ce qui découle de vous-même. Précisez ce que vous aimeriez voir se réaliser et attelez-vous à la tâche avec juste ce qu'il faut de discipline. Vous verrez que tout ira. Votre vie sentimentale ne s'en portera que mieux.

Chien de Bois

Vous ressentirez une certaine fierté cette année. Vous réaliserez que vous avez parcouru un long chemin, qui vous a parfois semblé difficile, et qu'en fin de compte vous vivez un état agréable. Oui, vous avez vu l'eau couler sous les ponts et vous en avez tiré des apprentissages ; il est maintenant temps de profiter de la vie, de divulguer vos connaissances et de vous féliciter du chemin parcouru. Si vous avez des rêves en tête, voici une bonne période pour commencer à les concrétiser. Vous aurez ce qu'il faut d'énergie pour relever tout défi. Vous pourrez vous ouvrir à du nouveau dans votre vie. Il ne serait pas surprenant que vous étonniez vos proches.

Chien de Feu

Si vous avez travaillé fort l'an dernier et avez atteint un but que vous poursuiviez depuis longtemps, vous pourrez enfin vous reposer un peu sur vos lauriers, flâner, vous promener, prendre le temps de voir ce qui se passe autour de vous. Excellente année pour découvrir de nouveaux champs d'intérêt. Vous comprendrez mieux les gens qui vous entourent, car vous serez plus détaché tout en étant très présent aux autres. Vos enfants et petits-enfants vous tiendront occupé. Si vous êtes célibataire, rien ne vous empêchera de faire une rencontre. Tout change tout le temps, vous en aurez une vive conscience cette année.

Chien de Terre

Bonne période pour poursuivre vos activités et pour faire vos preuves aux yeux des autres. Vous connaissez vos talents et savez quelles sont vos capacités, il est maintenant temps que les autres en prennent conscience. Vous n'en deviendrez pas prétentieux, juste un peu plus sûr de vous. Tous les natifs du Chien auraient avantage à explorer des lieux nouveaux cette année, mais ce sera encore plus vrai pour vous. Si vous pouvez vous le permettre, surtout n'hésitez pas à visiter un pays lointain. En famille, on appréciera vos conseils et encore plus votre humour. Votre amitié continuera d'être précieuse pour plusieurs personnes autour de vous. Une année harmonieuse.

Au fil des mois

En *janvier*, prenez le temps de vous questionner tranquillement, de lire, de vous reposer. Intérieurement, vous serez curieux de mieux vous connaître et de comprendre comment tourne le monde qui vous entoure. Concrètement, vous aurez un sens pratique à toute épreuve en même temps que l'imagination nécessaire pour faire aboutir vos plans. Côté cœur, vous pourriez vivre de belles émotions et de tendres rapprochements. L'être aimé ne lésinera pas sur les preuves d'amour, et de votre côté vous serez heureux de sentir qu'on vous aime. Évitez tout de même d'être trop possessif, voire jaloux. Célibataire? Même en ce mois froid, vous pourriez croiser le chemin d'une personne tendre et chaleureuse. La vie en famille, surtout si vous avez des enfants, sera harmonieuse. En matière d'argent, vous devrez y regarder de très près avant de vous lancer dans une grosse dépense.

Dès la *mi-février*, la chance vous sourira en matière de finances. Vous serez attentif aux questions matérielles et grâce à cela vous ferez de bons choix. Si vous avez économisé suffisamment, il sera peut-être temps d'effectuer un achat important; autrement, voyez ce qu'il en est de votre situation, faites précisément vos comptes, prévoyez pour les prochains mois, et vous constaterez que vous êtes dans une situation correcte. Côté cœur, vous serez très charmant durant les semaines qui viennent et on pourrait vous faire de l'œil. Laissez-vous bercer par la vie, et profitez des petits bonheurs qui passent. Les amitiés seront aussi au premier plan: vous vivrez en bonne entente avec votre entourage, et un ami ou une amie pourrait vous donner un coup de main pour l'obtention de ce que vous souhaitez. Dans vos activités, vous pourriez faire équipe avec quelques personnes, préciser vos objectifs et évoluer assez vite vers un poste intéressant. Prenez soin d'être à l'écoute des autres, vous verrez que l'union fait vraiment la force. Terrain d'entente trouvé dans plusieurs secteurs de votre vie.

En *mars*, c'est par votre manière de communiquer que vous vous distinguerez. Soyez attentif non seulement à ce que vous dites, mais également à la façon dont vous le faites. Vous aurez vraiment la capacité d'exprimer vos idées, surtout celles qui sont originales et étonnantes, mais vous aurez aussi une manière un peu déroutante de le faire. Prenez des gants blancs avec ceux qui aiment cela. N'hésitez pas à vous taire un ou deux jours de manière à préparer le terrain. Restez souple comme vous savez l'être. Des histoires de famille pourraient également vous tenir quelque peu occupé; il semble que frères et sœurs vous surprendront avec des nouvelles inattendues. Les relations familiales seront somme toute sous le signe de la compréhension et des goûts partagés. S'il est question de biens fonciers, d'achat ou de vente d'une maison, ce sera le moment d'agir. Il pourrait y avoir un déménagement dans l'air.

Durant quelques semaines du mois d'*avril*, si vous en avez le temps, pensez à quelques changements à la maison ou à votre lieu de travail, vous vous trouverez ensuite beaucoup mieux dans votre espace. Sortez dehors, faites de longues randonnées, votre corps profitera pleinement de la vie au grand air. Au travail, vous agirez (ce qui devrait être le cas depuis la fin de mars) très activement et très franchement. Vous serez peut-être un peu intolérant avec les gens qui ne fonctionnent pas comme vous. Investissez-vous dans votre travail si vous le souhaitez, mais n'exigez pas des autres qu'ils en fassent autant. La vie familiale vous apportera son lot de joie. Très bon moment pour suivre un léger régime alimentaire, rien de draconien surtout, il s'agira simplement de vous nourrir selon vos réels besoins et en accord avec la saison qui vient.

En *mai*, vous vivrez de bons moments avec vos parents, vos enfants, vos frères et sœurs ou tout membre de votre famille. Vous ressentirez vivement à quel point votre culture commune simplifie la communication et améliore l'entente. En matière d'argent, vous vous révélerez plus joueur, investisseur ou dépensier que vous ne l'êtes naturellement. Vous serez, dans tous les cas, intéressé par ce qui touche votre situation financière. En ce beau mois, vous profiterez pleinement de la vie et accorderez une grande importance à ce qui touche vos loisirs. Si vous êtes parent, jouez avec vos enfants, organisez des activités avec eux, ce sera là l'occasion de rapprochements. Côté cœur, sachez que celle ou celui qui vous plaît ou que vous aimez déjà se révélera très actif, ce qui vous demandera un peu de patience. Cela dit, somme toute, une énergie très positive se dégagera de vos liens intimes.

En *juin*, vous aurez peut-être un peu de difficulté à faire valoir votre point de vue auprès des gens. En fait, il vaudra mieux agir posément, discrètement, répondre aux attentes des patrons, des clients, des amis, des proches, et ne pas essayer de briller ou de faire triompher vos idées avant toute chose. Voici le moment idéal pour faire de l'ordre dans vos papiers, car vous serez méthodique et intéressé par ce qui est banal. Si vous êtes patron, vous saurez agir dans l'intérêt de ceux qui travaillent pour vous. Si vous êtes employé, vous irez votre petit bonhomme de chemin sans vous éparpiller. Dans vos amours, laissez-vous aller, dites ce que vous ressentez, osez vous ouvrir, faites des gestes en lesquels vous croyez, soyez franc tout en étant délicat, et vous ferez à la fois votre bonheur et celui de la personne que vous aimez.

En *juillet*, commencez par apporter quelques changements du côté de vos comptes et investissements, ou encore du côté de la planification à long terme. Réfléchissez avant tout, vous agirez à l'automne. Vous serez très intéressé par ce qui se passe avec les autres ce mois-ci, tant du côté de votre intimité que de celui de vos amitiés. Donnez toute l'importance à vos relations avec les gens, mettez au centre de vos occupations ceux que vous aimez et ceux que vous côtoyez. L'être aimé, si vous êtes en couple, pourrait se révéler très franchement. Vous serez impressionné par sa nature impétueuse, et serez sous l'emprise de son charme. Si vous êtes célibataire, vous pourriez faire une rencontre déterminante. Dans tous les cas, vous vous sentirez sensuel en cette période. En vacances ? Attention d'agir posément, vous ne serez pas à l'abri d'un incident physique dans un environnement moins familier.

Tout le mois d'*août* sera propice à la réflexion. Vous aurez la tête sur les épaules et saurez agir concrètement et lucidement ; réfléchissez à votre situation présente et pensez à ce que vous souhaitez pour le futur. Si vous partez en vacances agissez lentement, ne vous pressez pas, après tout la saison se prête au farniente. Tout ce qui vient de l'étranger vous intéressera. Vie amicale riche et plaisante. C'est une saison qui vous va bien. Très bonne entente dans votre vie de couple ; vous découvrez encore des facettes de l'être aimé, et ce sont elles qui vous plaisent ! Côté corps, bougez, faites des exercices, pratiquez un sport, faites l'amour, surtout ne restez pas inactif.

Vous brillerez en *septembre* parce que vous vous poserez, tant à vous-même qu'aux autres, les bonnes questions. Si vous êtes aux études, vous serez vraiment stimulé par ce qui débute. Au milieu du mois, vous pourriez vous heurter à quelques difficultés dans votre milieu de travail, mais cela ne fera qu'aiguiser votre goût du défi. Il est temps d'ailleurs, avant que l'année finisse, de relever franchement un ou deux défis. De tempérament fort et tranquille, vous êtes capable de vaincre bien des obstacles. Mais en plus, cette année, et en particulier durant cette saison d'automne, vous êtes capable de devenir maître d'une situation, vous êtes en mesure de faire vos preuves, de démontrer vos connaissances et vos capacités. Côté cœur, vous pourriez vivre un rapprochement avec un collègue si vous partagez les mêmes goûts, ou peut-être discuterez-vous beaucoup avec l'être aimé de questions de travail et de champs d'intérêt communs.

Des inimitiés cachées pourraient se révéler en *octobre*. Vous ne serez pas à l'abri de quelques tensions, et il faudra rester calme et réaliste afin de ne pas vous en faire avec ce qui en fin de compte n'en vaut pas la peine. Autrement dit, si vous avez des idées noires à l'occasion, ne les prenez pas trop au sérieux, respirez par le nez, restez calme, faites une activité reposante, et tout rentrera dans l'ordre assez rapidement. Au travail et dans vos activités de loisirs, vous continuerez d'être intéressé à ce que vous faites. Allez de l'avant dans un projet qui vous tente, osez explorer, innover, vous découvrirez que vous pouvez vous passionner pour une simple activité. Côté cœur, vous pourriez rencontrer l'amour dans un lieu inusité. Dans tous les cas, dites oui aux invitations.

Novembre : quel beau mois pour vos relations amicales ! Vous aurez l'esprit grégaire en cette période et aurez beaucoup d'entrain pour les communications et pour ce qui se fait en équipe. Il semble que vous pourrez enfin libérer tout ce que vous avez accumulé de connaissances durant les derniers mois. Excellente période pour toute forme d'expression. Vous vous sentirez pleinement participant à la société qui vous entoure, et vous aurez votre mot à dire. Vous serez aussi habile à transmettre vos connaissances et tout ce que vous avez appris ces derniers temps. Si vous enseignez, vous excellerez ; si vous êtes aux études, vous serez tout à votre affaire. Ce sera une période très créatrice et riche en rebondissements. Côté cœur, vous serez d'humeur plus amicale que passionnée. Vous continuerez de partager vos sentiments et pensées sur un plan universel.

En ce mois de *décembre*, vous aurez probablement besoin de vous reposer beaucoup avant les fêtes. Si vous recevez à la fin du mois, planifiez tout de manière minutieuse, ce qui vous aidera à mieux vous en sortir. C'est une période durant laquelle vous n'aurez pas énormément d'énergie en surplus. Il sera vraiment important aussi de vous isoler parfois, de voir un peu moins de monde, de rester tranquille à la maison si possible. Dressez le bilan des derniers mois, vous saurez mieux ce qui fait votre affaire et ce qui vous dérange. Ensuite, lâchez prise, détendez-vous, laissez la vie suivre son cours, ne contrôlez rien... sauf évidemment quelques réceptions et des cadeaux. Pour tout le reste, laissez-vous mener légèrement, cela vous fera grand bien. L'année qui vient sera propice à votre avancement et à votre vie sociale, mettez la pédale douce pour un mois.

Le Sanglier

Vous êtes tendre, bon et conciliant.

Sans rancune ni vengeance,
vous donnez la priorité à l'harmonie.

Vous jouissez d'une popularité enviable et
votre joie de vivre déride tout le monde.

***

Sanglier de Bois : du 4 février 1935 au 23 janvier 1936

Sanglier de Feu : du 22 janvier 1947 au 9 février 1948

Sanglier de Terre : du 8 février 1959 au 27 janvier 1960

Sanglier de Métal : du 27 janvier 1971 au 15 février 1972

Sanglier d'Eau : du 13 février 1983 au 1er février 1984

Sanglier de Bois : du 31 janvier 1995 au 18 février 1996

Sanglier de Feu : du 18 février 2007 au 6 février 2008

Sanglier de Terre : du 5 février 2019 au 24 janvier 2020

La personnalité du Sanglier

Le natif du Sanglier est bon et chanceux. On dit qu'il est l'épicurien du zodiaque. Il aime la bonne chère, mais aussi tout le reste : le travail, les loisirs, la famille et les amis. Très clairement, il goûte à tous les plaisirs. Courageux et doté d'un bon cœur, il ne met pas son intelligence au premier plan. Il est modeste.

En tout, le natif du Sanglier écoute avant tout sa petite voix intérieure et suit son petit bonhomme de chemin, jusqu'à ce qu'il obtienne ce qu'il désire. C'est un entêté. Il évite les drames intérieurs en fuyant l'introspection ; il peut même prétendre que tout va bien quand tout va mal. Il adopte le plaisir comme guide de vie ; il a d'ailleurs un côté superficiel. Il a également l'habitude de reporter les décisions importantes à plus tard, croyant que ses problèmes se résoudront d'eux-mêmes, et l'ironie de tout cela est qu'il a souvent raison. De tempérament, il est plutôt lent, mais il s'investit complètement dans ce qu'il fait.

Essentiellement, le Sanglier a une nature saine, spontanée et sensuelle. Parfois naïf, il aime la vie simple, la nature et la tranquillité. L'aspect le plus difficile de son caractère est son opiniâtreté : de fait, quand il a une idée en tête, n'essayez pas de l'en faire changer, vous perdriez votre temps.

Dans sa jeunesse, il peut être à la fois fêtard et travailleur. On peut facilement le prendre pour un matérialiste, mais ce serait une erreur : s'il aime le faste, c'est qu'il est un adepte du bonheur. Il peut, malgré tout, en raison de sa gourmandise légendaire, se révéler avide et motivé par le profit. Quand ses intérêts sont en jeu, il peut devenir malin. Généralement, il est généreux de son argent autant que de son affection.

Pour certaines personnes, il peut sembler arrogant... c'est son côté abondant. Il aime bien les projets grandioses.

Pour ce qui est du travail, en raison de sa propension à se divertir, on pourrait le croire paresseux. Or il n'en est rien, le Sanglier est habile, courageux, robuste et endurant. De plus, il est si serviable qu'il n'est pas rare qu'on lui en demande trop. Il doit apprendre à se défendre et à dire non. Cela dit, son côté pratique est très apprécié.

Il est frondeur, rempli de vitalité et d'enthousiasme. Généreux de nature et aimant plaire, il donne sa chance à tout le monde, parfois même à ceux qui ne le méritent pas. Il n'aime pas précisément suivre les règles, il faut lui laisser une bonne marge de manœuvre pour qu'il donne le meilleur de lui-même. La liberté l'enchante, mais son sens des responsabilités est souvent le plus fort.

Dans ses affections, le Sanglier s'entoure de gens sympathiques, qu'il traite bien. Sachant être simple et se montrer tel qu'il est, il a beaucoup d'amis. En amour, il est sentimental, sensuel et possessif. On le dit dévoué. Il peut se sacrifier pour un être qu'il aime, mais il est plus ou moins fidèle de nature, sa gourmandise l'incitant parfois à sauter la clôture. Sa chance légendaire lui réserve souvent une heureuse vie en amour, même si ça tarde parfois un peu. Comme il est facile à berner, il doit apprendre à s'entourer de gens fiables. La femme Sanglier peut souffrir de ne pas suffisamment s'affirmer. Elle sait vivre au quotidien et apprécie la vie domestique. L'homme Sanglier est attiré par la bonté. Il voit au bonheur et aux besoins matériels de ses proches. Avec un natif du Sanglier, vous découvrirez que la gentillesse est une qualité qui favorise l'aisance.

Ses rôles

- L'enfant est ouvert, autonome et dynamique.
- Le parent est encourageant. Il prend grand soin de sa famille.
- L'amoureux est sentimental, loyal et persévérant.
- L'enseignant est aimable et délicat.
- En affaires, le Sanglier est un bon associé.
- Le patron met la main à la pâte et consulte ses employés.
- L'ami ou le collègue est bien disposé et très apprécié. Il peut lui arriver de faire confiance aux mauvaises personnes. Ses amis l'aident.
- L'ennemi s'éloigne. Il est peu disposé à entretenir l'inimitié, mais il peut se venger.

Ce qu'il représente

Selon les Chinois, le Sanglier symbolise le confort, le bonheur et la prospérité. Il a beaucoup de chance et il peut se permettre de croire aux miracles, car ils existent réellement pour lui.

Les éléments

Le Sanglier de Métal est endurant, travailleur et honnête. L'élément Métal peut lui donner un caractère dur. Ce Sanglier manifeste ses sentiments ; son comportement est ouvert et franc.

Le Sanglier d'Eau est perspicace, tolérant et dévoué. L'élément Eau, en relation avec la sensibilité et les émotions, lui confère une grande diplomatie. Il ne croit pas que les autres puissent avoir de mauvaises intentions. C'est un dépensier.

Le Sanglier de Bois est entreprenant, généreux et solidaire. L'élément Bois favorise chez lui l'expansion et l'épanouissement, le bonheur et la générosité. Ce natif a le sens de l'organisation et il voudrait aider tout le monde.

Le Sanglier de Feu est courageux, enthousiaste et généreux. L'élément Feu le pousse à s'extérioriser. Il lui confère chaleur, générosité et joie de vivre. Il rend ce Sanglier plus passionné et plus matérialiste que les autres natifs.

Le Sanglier de Terre est patient, constant et intègre. L'élément Terre renforce son sens de la réalité et son esprit pratique. Le natif est également pacifique. Il réalise ses ambitions raisonnables.

Harmonies et conflits

++ Le Sanglier s'entend bien avec la Chèvre et le Lièvre, car tous trois sont doués pour la collaboration. Ils possèdent le même type de générosité. Ils sont très actifs mais le plus souvent en coulisses. Ils ont une influence sur leur milieu. Le Sanglier et la Chèvre vivent une entente parfaite et durable. Le Sanglier et le Lièvre sont unis ; des conflits peuvent naître de leurs rapports avec l'extérieur.

\+ Le natif du Sanglier s'entend également bien avec les natifs du Rat, du Tigre, du Singe et du Dragon. Avec chacun de ces signes, le Sanglier partage des intérêts communs.

– Le Sanglier et le Serpent n'ont pas la même vision. L'un est confiant, ouvert et honnête ; l'autre est méfiant, réservé et sceptique à l'excès. Bien qu'ils aiment tous deux la bonne vie, ils n'avancent pas sur le même chemin.

Prévisions pour le Sanglier

J'ai personnellement plus de plaisir à comprendre les hommes qu'à les juger.

Stefan Zweig

Du 31 janvier 2014 au 18 février 2015

Des changements importants se dessinent au cours de toute l'année. Vous serez appelé à vivre une métamorphose, qu'elle soit apparente ou non. Vous réviserez vos croyances, vous exercerez des fonctions différentes, vous changerez peut-être de lieu de vie ou de milieu de travail. Vous connaîtrez une phase qui exigera toute votre capacité d'adaptation, mais qui en échange sera passionnante. Pas d'ennui en vue cette année. Vous serez actif, encore plus que jamais. Vous aurez la possibilité de trouver de nouvelles sources de revenus.

Vous serez méthodique, et c'est ainsi que vous ferez les meilleurs choix pour votre futur. Intérieurement, vous pourriez vous remettre en question ou réfléchir à l'état actuel des choses. Prenez le temps de peser le pour et le contre de vos projets futurs, de voir vraiment où vous en êtes et, peut-être, d'abandonner un ou deux projets qui n'ont plus leur raison d'être et qui vous prennent trop de temps pour peu de résultats.

Vous capterez tout: on ne pourra rien vous cacher. Cela a de bons aspects, mais ce sera peut-être parfois un peu lourd à porter. Même si votre intuition est très forte, sachez que vous n'avez pas à réagir à tout ce que vous savez. Faire l'autruche a parfois du bon, vous le réaliserez.

Matériellement, vous serez très fort. La chance sera de votre côté et vous pourrez certainement réaliser des profits là où personne n'y croit plus. Votre personnalité est presque toujours en bon accord avec le monde matériel, mais durant les prochains mois, ce sera encore plus évident. Vous aurez cependant avantage à vous délester de certaines obligations et à vous tourner un peu plus vers votre vie intérieure, votre vie spirituelle. C'est un pan de l'existence que l'on met facilement de côté et qui, pourtant, compte pour beaucoup dans notre vie. Vous ferez un retour sur vos croyances.

Vous pourriez également vous découvrir de nouveaux sujets d'intérêt. À la fois curieux, actif et capable d'une concentration et d'une attention soutenues, vous aurez plusieurs outils pour évoluer dans un nouveau secteur d'activité si cela vous tente. Vous aurez également du plaisir à rencontrer des gens qui viennent d'un autre horizon.

Il n'est pas aisé de changer, cela est exigeant et demande un effort que nous aimerions bien ne pas avoir à fournir. Pourtant, une fois que c'est fait, qu'on s'est en quelque sorte métamorphosé, il y a place à un renouveau dans notre vie: c'est bien cela qui vous guette. Un renouveau. Une impression de renaissance.

Vos amours

Cette année, il sera important que vous visiez l'équilibre entre l'amour que vous donnez et celui que vous recevez. Même si vous vivez à deux depuis longtemps, il y aura des ajustements à faire. Rien de majeur, simplement, donnez-vous la chance d'être vraiment heureux avec l'être cher. Cela se fera par des conversations, des activités communes et non routinières. Essayez de ne pas vous complaire dans des habitudes de vie qui, à la longue, sont devenues ennuyeuses. Mettez du piquant dans votre vie, c'est ainsi que l'être aimé et vous serez plus heureux. Bien sûr, voyager serait une bonne option. Il faudra simplement voir si vous êtes en mesure de le faire en considérant les autres obligations de votre vie. Si vous proposez un voyage à l'être cher, soyez original dans vos choix et partez peut-être un peu plus longtemps qu'à l'habitude. S'il vous est impossible de prendre de longues vacances, rappelez-vous qu'il y a moyen de se dépayser en n'allant pas loin du tout. Tout est question d'imagination et, pour que vos amours fonctionnent cette année, il serait vraiment bien que vous étonniez votre partenaire.

Avant d'être une émotion, l'amour est une faculté de l'esprit qui dirige l'énergie vers l'unité et l'harmonie universelle.

Phillip Pierson

Si vous vivez *en couple*, ayez soin de faire de la place aux moments d'intimité. Cultivez les plaisirs qui sortent de l'ordinaire, ne vous contentez pas de la routine. L'être aimé pourrait être plus exigeant ou de caractère difficile s'il sent que vous êtes tendu. Soyez aussi attentif à ne pas tenter de contrôler votre partenaire ; ce n'est pas dans votre tempérament, mais peut-être serez-vous plus directif durant les prochains mois. Il se pourrait également que vous soyez un peu plus jaloux qu'à l'ordinaire ; si cela se produit, raisonnez-vous très vite et tout rentrera dans l'ordre. Comme l'écrivait Léo Ferré, dites à la jalousie : « Allez tire-toi. » Il y a de bons aspects pour votre vie amoureuse cette année : vous serez très passionné, très concentré, très présent. Une nouvelle lune de miel ? Oui, ça irait très bien à votre couple.

Si vous êtes *célibataire*, vous vivrez probablement de fortes émotions. Vous aimerez passionnément, ou pas du tout. Vous serez amoureux un jour, et pas le lendemain. Il sera important que vous vous sentiez libre. En fait, si vous faites une rencontre, il faudra que ce soit avec une personne qui vous émeut très fort, car autrement vous passerez votre chemin. Si vous souhaitez rester célibataire, vous pourriez tout de même ressentir quelques élans amoureux au cours des prochains mois. À vous de voir si cela vaut la peine de vous « investir » dans une relation ou non. Si vous souhaitez faire une rencontre déterminante, toutes les chances seront présentes, attention toutefois de ne pas vous emballer pour un rêve, pour une passion en coup de vent. Les émotions très fortes peuvent parfois nuire à une vision juste des faits.

Cœur atout !

- Vous aurez un charisme fou qui attirera qui vous souhaiterez.
- Vous serez physiquement en forme, ce qui facilite l'amour.

Vos activités

En ce qui concerne vos activités, l'année pourrait vous réserver des surprises ou encore vous permettre d'apporter des changements auxquels vous aspirez depuis longtemps. Excellente période pour envisager un renouveau. Vous pourrez apprendre autre chose ou simplement élargir un peu votre champ de compétence.

Fuyez comme la peste les tâches trop répétitives : elles vous ennuieront au plus haut point. Réorganisez votre horaire et vos tâches de manière à accorder plus de place à l'originalité, à l'imagination. C'est parfois beaucoup plus simple qu'il n'y paraît. De minimes changements pourront vous redonner le goût de l'action.

Vous serez curieux, actif et tenace tout au long de l'année. En plus, vous aurez une très bonne concentration, ce qui améliore toujours la qualité d'un travail. Vous ne devriez donc pas subir de plaintes de la part de supérieurs hiérarchiques qui seront, au contraire, bien contents de vous compter parmi eux. On dit que les gens un peu compulsifs sont généralement appréciés dans leur emploi, et pour cause puisqu'ils recommencent jusqu'à ce que le travail soit bien fait. Ce sera votre lot cette année : vous vous appliquerez.

Vous aurez peut-être également la possibilité de revoir vos méthodes de travail. Vous verrez que, en modifiant certaines habitudes, vous prendrez davantage de plaisir à vos tâches. Il sera aussi important de communiquer sur un plan pratique avec les gens. En équipe restreinte, vous fonctionnerez mieux qu'en grand groupe. Seul, vous serez efficace, mais peut-être un peu morose.

Les patrons, les collègues et les associations

Vous êtes patron ? Vous serez plutôt directif, efficace, mais peut-être un peu dans votre bulle. Plus individualiste que d'habitude, vous devrez faire un effort pour ne pas perdre intérêt à écouter. Par ailleurs, si votre groupe de travail est bien rodé, il n'y aura pas de grands changements. Avec les patrons, vous aurez la cote, on appréciera tout ce que vous faites ; vous récolterez ce que vous avez semé au cours des ans. Avec les collègues, vous fonctionnerez bien, sans plus. Des jalousies pourraient émerger, il y aura un peu de concurrence. Restez juste. Si vous êtes à votre compte ou à la retraite, vous serez bien dans votre bulle cette année. Très actif, vous ferez ce que vous voudrez et profiterez pleinement d'un sentiment de liberté.

L'argent et les biens

En matière d'argent, vous serez certainement un des privilégiés du zodiaque chinois cette année. En effet, vous aurez dans votre camp la chance ainsi qu'une attitude rationnelle et calculatrice. Tout cela devrait vous permettre de faire des économies et des achats judicieux.

Vos gains pourraient provenir de sources étonnantes : le recyclage, par exemple. Ne négligez pas des offres qui pourraient se révéler payantes. Toutefois, ne vous laissez pas entraîner dans un projet saugrenu qui vous ferait miroiter des gains substantiels en un rien de temps. Restez réaliste et ne laissez personne abuser de vous.

Vous serez également encore plus généreux que vous ne l'êtes habituellement cette année et voudrez faire plaisir en particulier à vos proches. Ainsi, vous pourriez effectuer une importante dépense pour leur assurer un bien-être futur. Ceux qui parmi vous sont collectionneurs dans l'âme (ou dans la réalité) pourront faire des trouvailles inespérées. Rien ne vous échappera, vous distinguerez le vrai du faux.

Une ou deux astuces pour réussir

- Investissez dans un apprentissage, suivez un cours, vous y trouverez peut-être une nouvelle source de revenus.
- Investissez dans une entreprise surprenante.

La forme, la santé et les loisirs

Vous devriez avoir une énergie plutôt constante au cours des prochains mois. En fait, pourquoi ne pas préserver votre capital santé en adoptant un régime alimentaire qui convient bien à votre âge ? Il s'agira de ressentir les effets qu'ont sur vous certains aliments. Abuser de café pourrait vous rendre inutilement nerveux, manger trop d'aliments gras pourrait vous déprimer ou, à tout le moins, vous endormir. Si vous souhaitez vous adonner à un sport, essayez-en un que vous ne connaissez pas : vous apprécierez les nouveaux apprentissages. Les arts martiaux en particulier pourraient vous correspondre, de même que la danse, le yoga ou le Qi-gong. Le plein air vous ferait également du bien. Quoi qu'il en soit, vous serez plus heureux et plus en forme si vous faites une activité physique régulière.

Ce sera une année durant laquelle vous serez particulièrement créatif ; pensez donc à choisir des activités qui stimuleront votre esprit. Bricolage, lecture, jardinage, peinture : voilà ce qui vous donnerait l'occasion de vous ressourcer et de vous détendre.

L'amitié

Vous approfondirez certaines amitiés, mais préférerez peut-être vous occuper de votre vie sentimentale et familiale que des amitiés proprement dites. Si vous faites des rencontres et commencez à fréquenter un groupe d'amis, ce sera sur la base de champs d'intérêt communs. Vous vivrez vos amitiés davantage dans le contexte de vos activités quotidiennes. Ainsi, des collègues de travail pourraient devenir des amis. Vous serez assez discret cette année, et si l'on vous confie des secrets, vous saurez les garder.

La famille

Vous privilégierez les relations avec les frères et sœurs et vivrez des rapprochements. Vous serez proche des parents et, si vous êtes parent vous-même, les enfants et petits-enfants auront toute votre attention. Vous aurez beaucoup de plaisir et de joies dans toute réunion de famille.

En tout, vous vivrez une bonne année familiale, car vous serez à l'aise dans l'intimité, avec les gens que vous aimez. Si des événements difficiles devaient survenir, vous serez la personne sur qui l'on peut compter. Vous avez beau voir le côté charitable des autres, en somme, c'est aussi une facette de votre personnalité.

Ce qu'on aimera de vous cette année

On aimera votre concentration, votre attention, votre fiabilité, votre loyauté, votre sens de l'intimité, votre capacité à vous satisfaire de la réalité.

Trois défis

- Essayez de ne pas vous acharner sur certains problèmes, ils se régleront d'eux-mêmes.
- Soyez sincère et franc, mais ne parlez pas trop.
- Soyez tenace, mais sachez lâcher prise si un projet ne vous intéresse plus.

L'année selon votre élément

Sanglier de Métal

Vous aurez peut-être l'impression d'être un éléphant dans un magasin de porcelaine au cours de l'année. Il faudra ralentir quelque peu vos ardeurs et éviter d'être trop volontaire. Cela dit, vous aurez le vent dans les voiles et pourrez faire avancer un projet dans le sens souhaité. Vous ne vous éparpillerez pas; au contraire, vous resterez centré sur un ou deux projets, pas plus. Vous aurez du succès dans vos entreprises; croyez en votre bonne étoile, car elle est bien présente. Avec les proches, ralentissez un peu, prenez le temps de vivre et de parler longuement avec ceux que vous aimez. Le temps passe, c'est vrai, mais il ne court pas à toute vitesse. Pourquoi ne pas ralentir et prendre le temps de vous amuser?

Sanglier d'Eau

Vous changerez profondément au cours des prochains mois. Vous ne le réaliserez peut-être pas immédiatement, mais à la fin de l'année, avec le recul, vous verrez que dans la vie rien n'est immuable. Cette métamorphose sera plutôt intérieure. Les autres ne s'en rendront peut-être même pas compte, mais vous, vous le saurez. Vos goûts pourraient changer, vos relations, vos champs d'intérêt... En suivant la vague, vous vous sentirez bien. Si vous luttez, vous vous fatiguerez. Votre naturel vous porte au bonheur, c'est une bonne chose pour vous. D'une certaine façon, vous faites partie de ces gens qui sont naturellement en accord avec eux-mêmes. Et la chance arrive toujours. Sans en devenir arrogant, profitez-en bien.

Sanglier de Bois

C'est en étant actif que vous serez le plus heureux au cours des prochains mois. Bien sûr, rien ne vous empêchera de réfléchir, mais privilégiez l'action. Surtout, n'allez pas vous imaginer que vous ne pouvez plus faire telle ou telle chose. Au contraire, prenez-vous un peu pour

James Bond, ça vous fera du bien. Si vous exercez votre créativité, les autres l'apprécieront. Vous pourriez obtenir un petit revenu supplémentaire. Vous aurez le désir de vivre entouré des gens que vous aimez, et cela se produira assurément.

Sanglier de Feu

Il y a le côté raisonnable dans votre ciel des prochains mois, en même temps qu'un intérêt pour un nouveau projet. Vous pourriez prendre un peu de distance avec vos tâches passées, et vous pencher sur une autre. Des questions de lieu de vie se poseront également. Vous n'apporterez peut-être pas de changements immédiats, mais vous y réfléchirez. Si vous choisissez de vivre ailleurs, vous aurez un sens de l'organisation qui fera l'admiration de vos proches. Votre caractère s'affirmera dans la bonne humeur. Vous vous entendrez avec tous ceux qui vous entourent. Et, quand l'année prendra fin, vous vous demanderez peut-être si elle n'était pas à marquer d'une pierre blanche!

Sanglier de Terre

C'est un bon cru pour améliorer vos finances personnelles. Vous avez probablement toujours su que vous aviez un talent pour cela, mais cette année vous en serez certain. Par ailleurs, il vaudrait mieux ne pas mettre tous vos œufs dans le même panier (celui du travail, par exemple), et garder du temps pour les loisirs. Vous aurez besoin de vos proches et préférerez l'intimité à la vie en société. Si vous êtes en contact avec beaucoup de monde dans le cadre de vos activités, vous en souffrirez un peu. Faites de courts voyages si vous le pouvez. Avec vos enfants, qui sont peut-être grands, l'entente sera bonne; avec des parents, vous pourriez parfois vous sentir un peu trop pris par les responsabilités morales.

Au fil des mois

Profitez des premiers jours du mois de *janvier* pour prendre des résolutions qui vous faciliteront l'existence. Vous serez habile dans toute question matérielle, en particulier pour ce qui touche les gains, et vous pourriez préparer le terrain pour être dans une situation tout à fait enviable. Côté cœur, vous serez peut-être tenté de chercher la bête noire là où elle n'est pas. Si des tensions se sont accumulées, prenez le temps de régler quelques malentendus. Vous aurez en cette période l'esprit large et la volonté de vous entendre avec les gens. Vous saurez voir ce qui vous unit aux autres. En ce qui concerne vos activités, votre vivacité intellectuelle et votre curiosité pour de nouvelles connaissances seront étonnantes. Vous aurez également le cœur rêveur: inspirez-vous de ce qui vous entoure. Ne croyez pas que vos désirs sont inaccessibles: rêvez grand, vous réaliserez grand.

Vous serez sociable en *février* et envisagerez tout avec optimisme et mesure. Au travail et dans vos activités, vous prendrez les moyens de faire avancer les choses dans le sens voulu. Vous aurez en tête de réussir quelques bons coups, vous voudrez faire vos preuves, vous apprécierez qu'on reconnaisse vos qualités, et tout cela surviendra. Soyez méthodique, comme vous seul savez l'être, ne laissez pas l'orgueil vous monter à la tête et gardez le cap sur vos objectifs. Du côté de l'intimité et de l'amour, il semble que vous serez plus intéressé par la vie sociale que par ce qui est quotidien et casanier. Si l'être aimé souhaite se cantonner à la maison et dans l'intimité, il est possible que vous en ressentiez un peu de dépit. Proposez des sorties, vous entraînerez qui vous voudrez. Célibataire? Vous serez assez peu enclin aux grands émois en ce début d'année, vous préférerez la compagnie de vos amis et votre situation vous conviendra tout à fait. Vous serez bien dans votre peau. Parlez simplement un peu plus de ce qui vous touche, et tout ira bien.

En *mars*, vous serez en mesure d'atteindre vos objectifs. Les communications seront positives, en particulier au travail. Dans l'intimité, vous aurez peut-être le cœur un peu lointain et le désir de voyager. Les relations avec les gens qui viennent de loin ou qui vivent au loin vous satisferont pleinement. À la fois déterminé et concentré sur vos objectifs, rien ne vous échappera. Vos amitiés prendront une grande importance en cette saison, et vous aurez des appuis précieux. Vous serez particulièrement habile à vous occuper des gens qui vous entourent et de ceux qui sont dans le besoin. De très belles ouvertures viendront éclaircir votre humeur. Vous saurez allier volonté et liberté d'action.

Ralentissez quelque peu vos activités en *avril*, et prenez le temps de vous détendre régulièrement, vous en tirerez des bénéfices inattendus. Adonnez-vous à un loisir, en particulier à des activités créatives, vous vous sentirez bien dans votre peau. Si vous savez vous retirer, ne pas prendre trop de responsabilités, pensez à vous avant de penser aux autres, vous vous en tirerez bien. Côté travail, vous défendrez votre point de vue avec une belle détermination et mettrez au jour certains problèmes que vous pourrez régler par la suite. Vers la mi-avril, vous deviendrez très imaginatif et fantaisiste, et vous aurez de la facilité à exprimer et à vivre vos désirs. Il est possible que vous ayez un peu moins d'énergie qu'habituellement, mais si c'est le cas, ne vous en formalisez pas et prenez simplement le temps de vous reposer. Attention aussi de ne pas abuser d'alcool ou d'excitants qui pourraient vous rendre mal dans votre peau. Un régime de vie régulier et de santé vous préparera pour une magnifique prochaine saison.

Vous retrouverez une grande vivacité en *mai*. Vous aurez, tant en amour que dans votre vie affective en général, de belles cartes dans votre jeu. On vous remarquera, on tiendra compte de vous, on vous fera plaisir. Vous aurez du charme en cette saison. Au travail ou dans vos activités, vous vivrez une période créative (excellent pour les artistes), mais vous n'aurez pas un sens pratique très fort. Assurez-vous d'être bien entouré et n'hésitez pas à demander l'appui ou les conseils de gens ayant de l'expérience dans votre secteur. Du côté des relations avec les collègues, vous saurez travailler en équipe et tenir compte de chacun. Si vous êtes relativement isolé, vous auriez peut-être avantage à vous joindre à d'autres, vous y réfléchirez et agirez peut-être dans les prochaines semaines. Du côté des amitiés, il y aura beaucoup de mouvements. Vous pourriez réunir des proches vers un même but. Vous irez vers la nouveauté avec enthousiasme. Allez de l'avant, réalisez un de vos rêves, ce sera plus simple que vous ne l'aviez imaginé. Assurément, un bon mois.

Au mois de *juin*, vous aurez avantage à faire le point sur votre situation financière, à dresser un budget pour les mois à venir, à prendre quelques décisions au sujet de vos avoirs et peut-être même à prévoir quelques achats. Vous aurez l'œil et le bon, ce mois-ci. Vous verrez où sont vos intérêts et y veillerez. D'excellentes occasions de gains se présenteront. Côté cœur, vous l'aurez tendre et compréhensif. Vous pourriez voyager un peu... ou plutôt préparer quelques escapades, quelques fins de semaine de dépaysement. Vous n'aurez nul besoin d'aller bien loin, pensez simplement à faire quelques entorses au quotidien, à sortir un peu de vos habitudes. Du côté des communications, les prochaines semaines s'annoncent agréables et enrichissantes : vous vivrez un bel équilibre avec les gens qui vous entourent. Côté travail, vous continuerez d'être efficace et surtout serviable, ce qui facilitera vos rapports avec les gens. Veillez tout de même à ce qu'on ne profite pas de vous. Côté santé, depuis quelques mois déjà, il est possible que vous sentiez que votre métabolisme ralentit ; si c'est le cas, vous devrez peut-être freiner un peu votre amour des bonnes choses, entendez des bons aliments ! Si vous avez eu tendance à exagérer durant les derniers mois, soyez averti que cette propension pourrait durer encore quelques mois. Faites du sport, cela vous fera du bien.

Très bons aspects pour les courts voyages en ce mois de *juillet*. Vous serez heureux de vos contacts avec les gens, vous aurez plaisir à partager votre quotidien. En famille, vous vivrez des moments de pur plaisir et de rapprochements. Faites des activités avec vos proches, trouvez ce qui vous rallie à certains membres de votre famille, et vous verrez que le fait de partager des goûts communs favorise les rapprochements. Vous serez dans un état d'esprit très particulier et très généreux, vous serez heureux d'écouter les gens, sans toutefois sentir le besoin de parler de vous-même. Il est possible aussi que vous vous sentiez plus réservé ou timide que vous ne l'êtes habituellement ; si c'est le cas, soyez près de vos proches, moins près des autres, et n'oubliez pas que le temps passe et change tout. De belles vacances en perspective, en particulier pour ceux qui prendront le temps de cultiver les plaisirs simples.

Même si vous êtes en vacances, vous bougerez beaucoup en *août*, vous n'aurez pas tendance à paresser. Intérieurement, vous passerez peut-être par des hauts et des bas. À certaines périodes du mois, vous vous sentirez rempli d'énergie, tandis qu'à d'autres, vous serez d'une humeur un peu cassante : bref, vous ne serez pas à l'abri d'une certaine agressivité, et le meilleur moyen de canaliser votre vigueur sera de faire du sport, de marcher, de nager... de bouger. Cela dit, vous aurez également la capacité et le talent de régler des problèmes persistants parce que vous n'aurez plus tendance à vous taire. En famille, vous serez en pleine forme et apprécierez la compagnie des proches. Des rapprochements sont probables avec ceux que vous aimez, les enfants en particulier. Surtout, n'oubliez pas que les activités communes resserrent les liens considérablement. Côté cœur, vous l'aurez léger et tendre durant les prochaines semaines. Imaginatif et en forme, vous vivrez de beaux élans sentimentaux. En cette saison, vous aurez le sens du beau, toutes les activités liées aux arts vous intéresseront vivement.

Vous serez actif, pressé, capable de réagir vite et à l'occasion un peu soupe au lait en *septembre*. Vous pourrez par ailleurs poser les bases d'un nouveau projet durant les deux premières semaines du mois. Gardez l'esprit pratique, ne vous perdez pas en rêveries, vous pourrez enraciner un de vos rêves. Vous agirez aussi de manière créative et imaginative, ce qui vous donnera l'occasion de régler quelques ennuis en ayant une approche différente des autres. Si vos activités touchent directement la collectivité, vous aurez des idées nombreuses en tête et une capacité de réalisation surprenante. De même, votre sens pratique sera très aiguisé. Tout le mois sera propice à une façon différente de régler des problèmes. Des solutions imaginatives vous conviendront. Faites le point sur une situation, vous verrez que vous avez accompli de grands progrès.

Vous ne serez pas à l'abri d'une certaine nostalgie du passé au mois d'*octobre*. Vous éprouverez probablement le besoin de réfléchir un peu à ce passé, de voir clair dans des faits et situations. Si cela éveille en vous des sentiments contradictoires, sachez que, pour bâtir sur une base solide, il est utile de faire des bilans réguliers, des petits retours en arrière. Excellentes possibilités de travail pour vous en cette saison : vous réglerez une situation confuse en un tour de main. Côté santé, vous serez en très bonne forme, énergique et certainement de bonne humeur. Vous verrez qu'on peut beaucoup plus agir sur la vie quand on se sent bien intérieurement, tant physiquement que psychologiquement. Si vous avez tendance à accorder trop d'importance au moindre malaise, vous pourriez prendre conscience que cela ne vous sert pas. Vous aurez l'esprit routinier et préférerez ne pas être dérangé durant toute la première partie du mois : voilà le moment de vous attarder aux détails de certaines questions. Vous serez peut-être un peu tatillon, mais cela vous fera voir certains faits d'importance. Côté cœur, vous aurez un dynamisme et un entrain qui rassureront les gens que vous aimez. Aspects très positifs dans vos amours. Un engagement pourrait être pris ou renouvelé.

Novembre sera le mois idéal pour vous intéresser de près à vos rapports avec les gens. Dans l'intimité, vous aurez peut-être avantage à choyer davantage les gens que vous aimez, votre partenaire en particulier. Démontrez vos sentiments, prouvez votre amour, mettez l'être aimé sur un piédestal, offrez quelque chose, votre temps par exemple, et vous vivrez de bons moments. Côté travail et activités, période propice aux négociations. Vous serez en mesure de discuter de certains liens. Vous pourrez également dire ce que vous pensez et réclamer quelques avantages. Dans tous vos rapports avec les gens, ce sera constructif à la condition que vous ne perdiez pas de vue vos objectifs à long terme et que vous ne preniez pas plus de place que nécessaire.

Aménagez du confort et des espaces d'expression pour tout le monde (vous et les autres), et la satisfaction s'ensuivra.

En *décembre*, vous verrez que les plans que vous aviez en tête en début d'année sont maintenant en bonne voie de réalisation ou, à tout le moins, assez clairs pour se concrétiser. Ce mois-ci encore, les relations intimes comme professionnelles ou simplement sociales auront beaucoup d'importance pour vous. Cultivez vos amitiés, voyez du monde, prenez le temps de donner des nouvelles et de partager de bons moments, et vous serez en forme. En matière d'argent, vous terminerez l'année sur une note intéressante. Vous pourriez recevoir un cadeau ou faire un gain inattendu. Quelques changements se dessinent qui pourraient vous agacer de prime abord, mais qui vous satisferont pleinement si vous vous adaptez. Côté cœur, vous serez attiré par l'exotisme. Ceux qui partent en vacances en profiteront pleinement. Une année faste et de pur dynamisme s'annonce.

Le Rat

Vous êtes curieux, populaire et sociable.

Vous nouez des amitiés le plus facilement du monde.

On recherche vos conseils et votre compagnie.

***

Rat de Bois : du 5 février 1924 au 24 janvier 1925

Rat de Feu : du 24 janvier 1936 au 10 février 1937

Rat de Terre : du 10 février 1948 au 28 janvier 1949

Rat de Métal : du 28 janvier 1960 au 14 février 1961

Rat d'Eau : du 16 février 1972 au 2 février 1973

Rat de Bois : du 2 février 1984 au 19 février 1985

Rat de Feu : du 19 février 1996 au 6 février 1997

Rat de Terre : du 7 février 2008 au 25 janvier 2009

La personnalité du Rat

Le Rat est un individualiste sociable. Il a le goût des relations ; il est d'ailleurs très à l'aise dans les soirées et les réunions. En somme, il adore être en contact avec les gens. C'est un curieux et un intuitif. C'est aussi un être charmant, séduisant et un fin stratège. Il trouve des solutions simples et pratiques aux problèmes complexes ; franchement, il adore les énigmes. Il ne se laisse jamais impressionner par les obstacles et il déteste l'oisiveté et le gaspillage. Il peut provoquer et il est très porté sur la critique. Le plus souvent, il cache ses intentions jusqu'à ce qu'il soit sûr de son fait. Ce natif réussit à allier rationalité et intuition de la meilleure façon qui soit, ce qui lui assure de multiples réussites.

Dans sa vie sociale, le Rat aime être au cœur d'un réseau influent. Il apprécie la vie en société et n'a rien contre les traitements de faveur. Il fait toujours partie de bons clubs, il connaît les gens importants et côtoie avec grand plaisir ceux qui sont bien placés. Même s'il ne le dit pas, la célébrité, le succès et l'argent l'impressionnent et l'attirent.

Dans ses activités professionnelles, le natif du Rat s'engage sans réserve. Opportuniste et minutieux, il est toujours à la hauteur de ce qu'on attend de lui. Sa prudence est légendaire ; on le dit aussi ambitieux et doté d'une grande capacité d'adaptation. Dans ses rapports avec les autres, il pratique l'art du compromis et de la négociation. Il est à l'aise dans les rôles de chef, de novateur et de précurseur. Il adore se mêler de ce qui ne le regarde pas et il finit toujours par en savoir plus que ses collègues. Il est aussi doué pour la planification et l'organisation. Côté communications, il établit des liens profitables. Le Rat est généralement travaillant, il ne recule pas lorsque ses efforts sont requis ; il va de l'avant, il s'intéresse à toutes les formes de progrès. Il n'est pas du genre à être en retard, mais il n'est pas non plus reconnu pour sa patience. Ses plus grandes qualités : il sait ce qu'il veut et il est persévérant. En outre, il se défend s'il considère qu'on le néglige : il réclamera son dû tôt ou tard, d'une manière ou d'une autre. Cela dit, c'est un bon collaborateur, il ne fait pas la sourde oreille lorsqu'on lui fait des remarques et il apprécie les bonnes idées, ce qui le sert souvent. Il ne passe pas non plus par quatre chemins pour dire ce qu'il pense.

En matière d'argent, il est économe. Il thésaurise. Aucune bonne affaire ne peut lui échapper. Il observe toujours très précisément ce qui se passe avant de se jeter dans la mêlée. Dans l'ensemble, le Rat s'efforce d'en obtenir le plus possible en en donnant le moins possible, il a du talent pour les affaires. Si on le dit frugal, il est toutefois généreux avec ses proches, son conjoint et ses enfants. À eux, et à eux seuls, il donnera tout.

Dans ses affections, le Rat a l'esprit de clan. Il est expressif, ardent et attentionné. Il sait écouter et faire parler les gens, alors on se confie à lui. Il donne beaucoup d'importance à ses relations, ce qui le fait parfois souffrir plus que nécessaire. Sa jeunesse est rarement la partie la plus facile de sa vie, car l'insécurité le trouble beaucoup. En amitié ou en amour, le Rat n'accepte pas d'être dupé. Porté à être possessif, il doit freiner une tendance à contrôler les êtres qu'il aime, à devenir autoritaire ou à s'imposer au mauvais moment.

En amour, le natif du Rat est sensuel, passionné, jaloux, fidèle et parfois un peu dominateur. Il s'engage facilement, car il n'est pas du genre à craindre les risques. Quand il trouve un partenaire à son goût, il vit très bien l'attachement. Il supporte difficilement la souffrance en amour : une peine durera longtemps. Il n'a pas plus de facilité qu'il le faut à dire ce qu'il ressent même si son cœur est en ébullition. Cela dit, il est très populaire. Peut-être est-ce en partie parce qu'il ne fait pas mystère de ses sentiments. Madame Rat lutte tous les jours pour faire place à deux facettes de sa personnalité : la femme amoureuse et la femme d'affaires. Monsieur Rat est un insatisfait, mais il aime la romance, la passion et la tendresse, ce qui en fait tôt ou tard un bon amoureux.

Ses rôles

- L'enfant Rat apprécie la chaleur du foyer. Devenu grand, il s'occupera de ses parents.
- Le parent est affectueux et conscient de l'importance de la famille. Il comble les êtres chers.
- L'amoureux est aussi sentimental qu'il est calculateur en affaires. Ce n'est pas un inhibé.
- L'enseignant est loquace et efficace. Il exige de l'attention et de l'initiative. Il n'a pas la langue dans sa poche.
- En affaires, le Rat est très fin limier. Si on s'associe à lui, il faut définir les rôles de chacun.
- Le patron est exigeant. Il vous écoute si vous l'écoutez et ne déteste rien de plus que la paresse.
- L'ami ou le collègue est attentionné et chaleureux. Il s'attend à une alliance forte. Il est drôle et bon vivant.
- L'ennemi est redoutable.

Ce qu'il représente

Pour les Japonais, le Rat est le protecteur: il est le dieu de la bonne fortune et de la richesse. Pour les Chinois, il est aussi le symbole de l'abondance. La naissance d'un natif de ce signe est vécue comme un présage heureux.

Les éléments

Le Rat de Métal est idéaliste, sentimental et parfois intransigeant. L'élément Métal peut lui donner un caractère dur. Ce natif est un être entier.

Le Rat d'Eau est séduisant et calculateur. L'élément Eau, en relation avec la sensibilité et les émotions, lui confère l'art de l'accommodement.

Le Rat de Bois est travailleur, compétent et honnête. L'élément Bois favorise chez lui l'expansion et l'épanouissement, le bonheur et la générosité. Le natif peut s'inquiéter pour l'avenir. Il oublie parfois qu'il est chanceux.

Le Rat de Feu est indépendant, énergique et généreux. L'élément Feu le pousse à s'extérioriser. Ce natif est le plus chevaleresque et le plus énergique des natifs du Rat.

Le Rat de Terre est persévérant et talentueux. Il atteint son but. L'élément Terre renforce son sens de la réalité et son esprit pratique. Le natif est un possessif, attaché aux biens matériels. Il est également calculateur et rationnel.

Harmonies et conflits

++ Le Rat est un actif qui aime les actifs : le Dragon et le Singe. Ces trois signes innovent et prennent des initiatives. Ils peuvent aussi être impatients. Le changement ne leur fait pas peur. Le Rat et le Singe se dominent à tour de rôle. Le Rat et le Dragon marchent vers le succès.

+ Le Rat s'entend bien avec le Buffle. Ils se respectent. C'est une relation sous le signe de la fidélité.

– Le Rat et le Cheval ont le plus souvent des relations tendues. Ils ne voient pas les choses de la même manière. L'indépendance du Cheval inquiète le Rat, qui aime bien la sécurité.

Prévisions pour le Rat

La gentillesse est le langage qu'un sourd peut entendre et qu'un aveugle peut voir.

Mark Twain

Du 31 janvier 2014 au 18 février 2015

Votre année sera axée sur l'organisation de votre bien-être et de votre environnement, ainsi que sur vos relations avec les gens, les proches comme les moins proches. Des questions d'ordre familial retiendront votre attention; vous continuerez de voir les choses sous leur angle pratique. Vous apprécierez le fait de vivre dans un cadre qui correspond à vos besoins de confort et à vos goûts esthétiques, mais plus l'année avancera, plus vous souhaiterez partager des moments avec des gens avec qui vous vous entendez bien. La plupart du temps, nous nous intéressons davantage à nous-mêmes qu'aux autres; toutefois, il arrive que le vent change et que les autres prennent une grande importance à nos yeux, dans notre cœur. C'est une de ces années où vous vivrez ces sentiments.

Ce sera également une année charnière pour ce qui est de questions de santé. Vous aurez peut-être à modifier votre mode de vie pour qu'il corresponde davantage à vos besoins physiques. Si vous avez négligé les exercices physiques dans les dernières années, vous pourriez entreprendre une nouvelle activité et retrouver une énergie qui agira sur votre psyché. Vous réfléchirez davantage à des questions d'équilibre psychique. Vous ressentirez aussi le besoin d'agir dans votre société.

Vous rendrez facilement service, ce qui sera apprécié des gens qui vous entourent. Vous aurez de la compassion pour les moins bien nantis que vous, et vous comprendrez profondément que chacun n'a pas les mêmes chances, mais que tous méritent le bonheur. Confiant en vous-même et en vos capacités, vous choisirez de dire non à ce qui ne vous intéresse plus. Cela dit, vous vivrez une année relativement simple durant laquelle vous aurez une approche à la fois réaliste et enthousiaste. En début d'année, vous aurez l'occasion de faire le point pour savoir où vous en êtes et ce que vous aimeriez vivre. Lisez davantage, inscrivez-vous à un cours, entreprenez une activité dont vous ne connaissez rien, faites du travail manuel (si vous en avez peu fait), bref, développez de nouvelles forces, cela vous rendra joyeux.

Si vous devez vous adapter à une nouvelle situation, cela se fera en douceur, car vous aurez du plaisir à explorer de nouveaux horizons au quotidien. Une bonne année pour combler vos besoins. Vous saurez aimer tout en vous affirmant.

Vos amours

Côté cœur, vous serez ouvert aux bons moments que la vie aura à vous offrir cette année. Période idéale pour une rencontre, pour approfondir une relation, pour vous engager à long terme ou, plus simplement, pour renouveler vos vœux.

Votre générosité sera appréciée et vous écouterez vraiment ce que l'être aimé ressent et pense ; si vous êtes seul, vous serez probablement à l'écoute de la plupart des gens autour de vous. Ce qui vous semblait compliqué il y a quelques années vous apparaîtra dans toute sa simplicité. Votre bonne humeur rendra toute rencontre plus facile et plaisante.

Vous aurez le désir d'approfondir toute relation intime, et vous ne serez pas tenté de papillonner. Si vous êtes en couple depuis belle lurette, vous pourrez vous rapprocher en prenant des vacances ensemble.

Dans tous les cas, donnez la priorité à la vie à deux: vous serez dans une position idéale pour faire évoluer toute relation dans un sens constructif. Vous n'aurez pas de grands besoins d'affirmation, vous ne serez pas très individualiste, et vous vous plairez dans l'intimité.

L'amour donné un jour,
c'est pour toujours qu'il est donné.

Christian Bobin

Célibataire, vous pourriez vraiment changer de statut si tel est votre désir. Si vous préférez rester seul, ne vous en faites pas avec cela et sachez simplement que vous aurez plus de plaisir et de facilité dans les relations à deux. Pour les autres, la personne qui pourrait faire battre votre cœur sera active et n'aura pas tendance à prendre ses rêves pour des réalités. Il serait peu probable qu'un amour naisse d'une amitié, il s'agira davantage d'un coup de foudre ou, à tout le moins, d'une rencontre que vous ferez cette année. Dans tous les cas, n'allez pas vous imaginer que vous ne supporterez pas la vie à deux (même si vous êtes célibataire depuis longtemps), car vous vous habituerez bien vite à des changements. Vous concrétiserez un rêve amoureux grâce à votre humeur sereine. Par ailleurs, attention de ne pas prendre un attachement trop soudain pour une bonne relation. Tout le monde ne nous correspond pas.

En couple, c'est une année qui pourrait être à marquer d'une pierre blanche si votre partenaire et vous choisissez de vous consacrer à votre vie sentimentale. Nul besoin de trop en faire, il s'agira simplement d'être sincère et de parler longuement l'un avec l'autre. Plus vous passerez de temps ensemble, mieux vous vous sentirez. Les rapprochements se feront également grâce à des activités communes. Vous aimerez aussi que votre partenaire vous en apprenne sur la vie. Ne délaissez pas les paroles qui font plaisir: dire à l'autre combien il nous semble beau, offrir des fleurs, donner un massage, voilà des gestes qui rapprochent. Restez aux aguets quant aux besoins de l'élu de votre cœur, et vous découvrirez des richesses inattendues du côté de vos amours.

Cœur atout !

- Vous saurez vivre la routine de manière harmonieuse. Rien ne servira de chercher de midi à quatorze heures comment faire plaisir à votre amoureux : un bon repas, un film à la télé ensemble, quelques escapades hors du quotidien, et tout ira bien.
- Vous aurez un talent particulier pour ressentir les besoins des gens qui vous entourent ; vos relations s'en trouveront ainsi plus riches de bonheur.

Vos activités

Il est possible que vous ressentiez une certaine lassitude dans des tâches répétitives au cours des prochains mois. Si vous faites le même travail ou si vous vivez dans le même milieu depuis quelques années, vous pourriez trouver tout cela d'un ennui mortel et vouloir en changer ! Il y a cependant un prix à payer pour les changements, alors réfléchissez bien avant d'agir. Si vous prenez le temps de mener une réflexion profonde, vous pourrez trouver toutes sortes de façons de dynamiser votre routine de manière qu'elle vous plaise davantage. Il ne s'agit parfois que d'apporter de minimes changements ; par exemple, des changements d'horaire, des changements physiques (votre aménagement de bureau), etc. Par ailleurs, vous ne manquerez pas de concentration, mais vous n'en aurez pas de surplus non plus : tâchez donc de vous trouver en situation où les autres ne vous troublent pas trop par leurs bruits.

Vous collaborerez facilement avec tous. Vous avez naturellement de la facilité à entretenir de bons liens avec autrui, et les gens qui ont oublié de vous offrir leur soutien l'an dernier vous le donneront au cours des prochains mois. On pensera davantage à vous consulter et on tiendra compte de vos opinions. On vous communiquera aussi d'excellentes idées si vous en manquez. C'est en cultivant de bonnes relations avec les collègues que vous pourrez effectuer des changements dans votre vie professionnelle et dans vos activités.

Du côté des communications, la vie sera simple, vous aurez enfin l'impression que vous arrivez à exprimer précisément ce que vous pensez et que les gens à qui vous vous adressez vous comprennent. Voilà une année faste pour toute tâche en lien avec les communications.

Les patrons, les collègues et les associations

Vous préférerez les rapports de type égalitaire, mais vous supporterez l'autorité sans vous en faire. Si vous êtes vous-même en position d'autorité, vous aurez davantage tendance à cultiver des relations d'égal à égal. Vous aurez de bons rapports avec les collègues. Tous les liens égaux sont favorisés cette année. Vous aimerez écouter ce que les autres ont à dire et en tiendrez compte, ce qui n'est pas toujours votre habitude.

C'est une année favorable pour les associations: vous serez lucide, on ne pourra pas vous berner, vous serez responsable et capable de tenir compte des autres. Concrètement, vous pourrez servir des gens. Vous ne serez pas dépourvu de générosité et vous trouverez tout à fait bien si vous pouvez rendre service.

L'argent et les biens

Il n'y a pas de changement remarquable dans votre ciel des prochains mois en ce qui concerne les biens matériels, sauf peut-être que vous économiserez un peu plus. Cela dit, si vos enfants ont des besoins, vous direz adieu aux économies. Vous ne serez pas très dépensier, à part pour les gens que vous aimez. Si vous pouvez faire un budget, c'est peut-être ce qui vous servirait le mieux. Cela dit, ne soyez pas trop préoccupé par cette question, car l'an prochain vous vous trouverez en bonne situation pour augmenter vos gains. Cette année, contentez-vous d'agir de manière équilibrée, c'est ce qui sera le mieux.

Si vous devez négocier, vous serez affable, mais vous saurez aussi voir à vos intérêts. Gardez en tête que vous avez les aptitudes nécessaires pour gagner ce qu'il vous faut. Dans tous les cas, la coopération sera tout de même votre meilleur choix.

Une ou deux astuces pour réussir

En achetant ou en vendant une maison, vous ferez un gain.

La forme, la santé et les loisirs

Excellente année pour vous remettre en forme physique et pour adopter de meilleures habitudes alimentaires au cours des prochains mois. Ce qui touche la santé vous intéressera. Vous n'en parlerez plus, vous agirez. N'hésitez pas à vous abonner à un centre sportif ou à prendre quinze minutes tous les midis pour faire des exercices qui vous seront salutaires.

Côté loisirs, privilégiez tous les sports ou toutes les activités que vous pourrez faire à deux, car c'est ainsi que vous fonctionnerez le mieux. Si vous voyagez cette année, voyez si votre confort sera assuré : il semble que vous aurez besoin d'un environnement plaisant pour être bien dans votre peau. De plus, préparez tout minutieusement, ce n'est pas pour vous les surprises, vous aimerez ce qui est prévisible.

L'amitié

Vos amitiés seront équilibrées, sans changement notable à l'horizon. Votre humeur sera stable et vous pourriez renouer avec d'anciens amis que vous aviez perdus de vue. Vous cultiverez aussi une entente amicale avec les gens de votre famille ou avec celle de votre partenaire de vie. De même, vous pourriez créer des liens plus serrés avec votre entourage. Votre grande force résidera dans votre capacité d'entretenir des relations aussi sincères qu'agréables avec tous.

La famille

Des rapprochements avec la famille sont probables, en particulier s'il s'agit de frères, de sœurs ou de vos enfants. Vous serez pratiquement amis avec les gens de votre famille au cours des prochains mois. Si un conflit dure avec un membre de la famille, vous pourriez être la personne qui fait les premiers pas. Cependant, réfléchissez avant d'agir, car parfois ces rapprochements ne servent qu'à raviver la douleur des mésententes. Certaines personnes peuvent s'entendre, d'autres pas. Mieux vaut ne pas insister.

Ce qu'on aimera de vous cette année

- On aimera votre ego bien dimensionné, qui prend juste assez de place.
- On aimera votre gentillesse, votre capacité de vous intéresser aux autres et de voir ce qu'ils vivent.

Trois défis

- Continuez d'apprendre (une langue, un art, etc.), car c'est comme cela que vous resterez intéressant pour les autres.
- Si vous avez parfois jugé des gens, voilà le moment de revenir sur votre pensée et d'en changer. Les gens font ce qu'ils peuvent en fin de compte.
- Soyez travaillant et osez apporter des changements qui amélioreront votre vie, même si cela bouscule un peu votre entourage.

L'année selon votre élément

Rat de Métal

Ce sera somme toute une bonne année pour vous, mais on vous trouvera peut-être parfois un peu prompt à réagir. Cela dit, vous aurez de l'aplomb et agirez avec dynamisme dans tous les secteurs de votre vie. Vous pourriez vivre de très bons moments à deux, car vous avez appris au cours des dernières années à partager un peu plus, ce qui vous va bien. En ce qui concerne vos activités, si vous devez négocier certaines ententes, faites-le en privé, à deux si possible. Vous saurez faire valoir votre avis tout en tenant compte de celui des autres. Pour votre santé, il faudra faire des choix. Eh oui, le temps passe, il ne sert à rien de se bercer d'illusions, il vaut mieux entretenir son corps en le dorlotant un peu plus.

Rat d'Eau

Vous vous tracerez un chemin là où vous voulez aller cette année. C'est par votre charme que tout passera, mais il vaudrait mieux tout de même ne pas le surutiliser. Tablez aussi sur vos talents et sur vos autres forces. Vous êtes parfaitement en mesure d'obtenir de l'avancement si c'est ce que vous souhaitez. Cela dit, la vie de famille vous donnera pas mal de boulot, un boulot plaisant certes, mais tout de même exigeant. Vous prendrez soin de tous et aurez parfois l'impression que les journées passent trop vite. Côté cœur, vous sentirez qu'on vous aime, ce qui vous donnera une grande force.

Rat de Bois

Voilà une très bonne année pour les natifs de votre signe : vous aurez le vent dans les voiles, vous croirez en votre bonne étoile (avec raison), vous aurez de l'énergie et, en prime, vous serez d'un grand optimisme.

Rien ne vous résistera, tout coulera de source. Vous devrez peut-être travailler pour obtenir ce que vous souhaitez, mais vous n'aurez pas à lutter très fort contre les vents. Ils vous seront favorables. Imaginez ce que vous désirez profondément, ancrez-le profondément dans votre psyché, faites des pas en ce sens, et vous verrez un rêve se réaliser. En ce qui concerne vos activités, écoutez ce que tout le monde a à dire, puis forgez-vous votre propre opinion. Elle fera peut-être consensus.

Rat de Feu

Vous vous sentirez très fort au cours des prochains mois, et il est bien possible que vous le soyez en effet. Si vous avez des projets en route, continuez d'y travailler sans relâche. Vous poursuivez un rêve ? Continuez d'y croire, il cherchera à prendre vie. Vous vous entendez généralement bien avec les gens, et en cela réside votre plus grande force. Cette année, ce sera plus vrai que jamais. Vous prendrez de la maturité tout en ne perdant aucune énergie. Si vous avez de jeunes enfants, ils seront heureux auprès de vous. Si vous souhaitez en avoir, il est peut-être temps d'y penser sérieusement. C'est une bonne année pour une union et pour la famille.

Rat de Terre

C'est avec l'être cher ou avec vos proches que vous serez le plus heureux cette année. Vous ne chercherez pas à briller à tout prix, vous n'aurez aucun besoin de faire valoir votre opinion ou vos idées. Rien ne vous empêchera de travailler avec cœur, mais il n'y aura pas d'ambition démesurée. Si vous êtes à mettre la touche finale à un travail de longue date, vous aurez avantage à collaborer avec une autre personne pour vous assurer du résultat. Dans toutes les facettes de votre vie, vous aurez tendance à rechercher l'opinion, l'appui, l'avis d'un autre, et vous aurez raison. En collaborant efficacement avec les autres, vous arriverez à de meilleurs résultats. Un voyage à deux vous ressourcerait.

Au fil des mois

En *janvier*, vous serez sous le mode de la réflexion et il est probable que vous vous posiez des questions sur votre avenir. Vous avez changé intérieurement, ce sera bon pour vous à long terme, mais vous avez certainement compris que les événements et les situations sont la plupart du temps assez complexes à comprendre, et les solutions pas toujours évidentes à trouver. Faites comme tout le monde en cette période, prenez quelques résolutions. Limitez-vous à un ou deux objectifs, et pesez bien ce que vous aimeriez réaliser. Des membres de votre famille vous soutiendront. Confiez-vous, discutez, conversez avec des proches, parlez-leur de ce qui vous tracasse, on aura toutes sortes d'idées intéressantes à vous suggérer. En matière de finances, vous pourriez faire des gains supplémentaires grâce à votre emploi. Au travail, vous aurez une attitude très énergique et productive. Mettez la main à la pâte, et vous verrez que vous avancerez à pas de géant.

Une augmentation de vos revenus est possible en *février*. Faites le compte des pour et des contre si on vous demande de travailler davantage. Vous serez en bonne forme ce mois-ci, très énergique, curieux et intellectuellement vivace. Vous aurez envie de bouger beaucoup, de vous amuser, mais également vous resterez productif. Dans la famille, s'il y a des conflits latents ou des disputes déclarées, essayez de bien comprendre ce qui se passe et de ne pas prendre parti. Ne jetez pas d'huile sur le feu. Vous voudrez apporter des changements dans votre demeure, et ce sera effectivement le bon moment pour cela. Vous aurez du plaisir à réorganiser l'espace, à décorer, à penser à quelques changements de manière que vos proches et vous vous sentiez bien. Votre vie sentimentale ne sera peut-être pas tout à fait à votre goût, et vous pourriez dire (ou simplement penser) que votre partenaire n'est pas toujours des plus stimulants. Si c'est le cas, prenez votre mal en patience quelque temps, car chacun a ses états d'âme qui ne font pas toujours le bonheur de tout le monde. Quoi qu'il en soit, vous serez plus à l'aise si votre partenaire fait preuve de maturité.

En *mars*, vous risquez de dépenser plus que prévu, mais il est possible également que vos revenus soient plus élevés que d'habitude. Vous dégagerez une énergie positive en amour. Si vous êtes en couple, préparez de bons petits plats, faites plaisir d'une manière ou d'une autre en proposant des activités qui sortent de l'ordinaire à votre partenaire. Célibataire? Vous serez plus heureux à deux que seul ou en groupe, vous aurez donc avantage à voir vos amis seul, et à faire des sorties à deux. Si vous souhaitez rencontrer quelqu'un, surtout ne négligez pas de regarder autour de vous, dans votre environnement quotidien, car une personne que vous côtoyez régulièrement, mais connaissez assez peu, pourrait être attirée par vous et vous convenir parfaitement. De toute façon, en regardant les choses en face, vous verrez de quelle manière vos désirs peuvent se réaliser. Dans toutes vos activités ce mois-ci, il faudra vraiment que vous bougiez beaucoup, sinon vous deviendrez carrément déprimé. Sortez, marchez le plus possible, diversifiez vos tâches, et voyez du monde. Tant au travail que dans vos amours et en famille, vous serez créatif et amoureux de la vie.

Bon moment pour voir ce qu'il en est de vos finances personnelles en *avril*. Votre situation promet d'être assez bonne. Observez de près de quelle manière les gens communiquent entre eux. Vous serez attentif à ce que vous dites et à la manière de le faire, et vous pourriez trouver des trucs pour que les communications entre les gens soient plus efficaces et donnent de meilleurs résultats. Avec votre partenaire de vie ou un ami, ce sera le moment de parler de certaines questions. Vous serez capable d'une certaine objectivité, et les gens qui vous entourent également. Vous pourriez aplanir pas mal de difficultés grâce à quelques conversations et réunions. Vous serez très imaginatif durant les deux premières semaines du mois, organisé et méthodique durant les deux dernières. Vous terminerez le mois sur une note positive.

Mai sera un très bon mois pour faire de l'ordre, organiser votre espace de vie, travailler à un projet, voir la famille. Rien de grandiose, tout le bonheur sera dans les petits gestes du quotidien. Vous serez plus attentif à votre intimité et à ce qui est présent dans votre vie au jour le jour qu'à vos projets à long terme. Vous aurez avantage à penser à des changements matériels, par exemple un nouveau décor dans la maison, une nouvelle coupe de cheveux, ou encore un nouveau style vestimentaire. Intéressez-vous de près à votre allure et changez de style si le cœur vous en dit. Amusez-vous aussi. Dans vos activités, votre sens des responsabilités ne se démentira pas. En amour, c'est la grande forme.

Vous aurez ou de la chance ou des idées exceptionnellement bonnes au mois de *juin*. Vous serez également curieux de tout en cette période et tirerez le meilleur parti de toute situation. En amour, amusez-vous et ne prenez pas la vie trop au sérieux. Votre imagination sera vive, et vous pourrez réaliser quelques-uns de vos rêves. Voyez la vie comme un jeu, ne prenez rien au sérieux, c'est une saison pour s'amuser. Invitez vos amis, vous serez le boute-en-train de votre groupe. Dans vos activités, vous vous adapterez à tout changement, à tout nouveau patron, à toute situation imprévue. Il est possible que vous vous découvriez le goût de bricoler. Arrangez-vous pour que votre emploi soit diversifié, car vous aurez envie de faire beaucoup de choses en peu de temps. Si vous êtes quelque peu dispersé et nerveux, faites des exercices ou un sport. Côté cœur, allez-y tout doucement avec la personne que vous aimez, elle risque d'être susceptible.

En *juillet*, vous sentirez que vous êtes capable d'un bon équilibre tant dans vos relations intimes et sociales qu'intérieurement. Cela dit, vous pourriez avoir envie d'un peu plus de stabilité, et les événements auront tendance à se succéder à un rythme fou. En cette magnifique saison, vous serez tendre en amour et rêverez tout haut, et vos rêves auront tendance à vouloir se concrétiser. Avec votre partenaire de vie, vous serez actif, en forme, et tenté de faire des activités qui vous plaisent à tous deux. Célibataire, vous ne serez pas à l'abri d'un coup de foudre, mais cela pourrait s'avérer heureux. Côté travail, si vous n'êtes pas en vacances, vous serez peut-être obligé de supporter une situation qui ne vous convient pas vraiment. Efficace, vous ferez ce que vous avez à faire... mais vous espérerez autre chose bientôt. Rendez service et attendez patiemment le temps de la détente.

Août sera faste du côté de vos associations. Vous aurez à cœur de vous entendre avec tous et réussirez, mais vous vous rendrez compte que les gens ont beaucoup d'attentes. C'est un peu comme si vous alliez devoir tenir compte des autres plus que de vous-même pendant un certain temps. Prenez cela calmement et dites-vous que ça vous fera du bien. Sachez aussi que vous serez très habile ce mois-ci et que toute activité à la fois créative et manuelle vous amusera. Si vous êtes en vacances, jouez, amusez-vous, bricolez, dessinez. Côté cœur, vous vivrez des moments précieux ce mois-ci. Vous vous sentirez à la fois aimé et aimant. Il y aura du bonheur autour de vous et en vous. Toutes vos associations sont sous de bons augures, et si vous vivez un conflit non réglé avec quelqu'un, ce sera un bon moment pour une réconciliation.

Côté finances, faites le tour de votre jardin au début du mois de *septembre*, faites vos comptes, et voyez où vous en êtes : il est possible que vous ayez suffisamment économisé pour effectuer un placement ou un investissement. Vous pourriez aussi recevoir un montant que vous n'attendiez pas, mais il est plus probable qu'il s'agisse de gains réalisés récemment. Cela dit, vous pourriez aussi être tenté de dilapider un montant d'argent ; si cela s'avère, demandez à un proche de vous aider à ne pas faire de gestes que vous pourriez regretter. Vous entrerez en ce dernier trimestre de l'année dans un état de grande curiosité et d'éveil intellectuel. Les personnes aux études sauront mieux ce qui les intéresse vraiment. Dans vos activités, vous serez capable d'une grande concentration et d'aller au fond des choses. Vous serez également en mesure de faire une synthèse de toute situation qui vous concerne. Voilà un bon moment pour prendre des décisions qui auront un effet positif à long terme.

Vous serez les voyageurs du zodiaque chinois en *octobre*, et si vous n'êtes effectivement pas en voyage, vous vivrez chaque situation comme une exploration. Aux études, au travail ou dans toute autre activité, vous vous distinguerez à la fois par votre curiosité, votre capacité de faire des synthèses et votre manière de considérer les situations sur le long terme plutôt que simplement pour leur présent. En amour, vous serez passablement rêveur et romantique dans les semaines qui viennent, et surtout vous serez fortement attiré par le lointain. Vous aurez aussi tendance à idéaliser toutes les situations et à vivre sur un nuage, mais cela vous fera du bien plutôt que de vous nuire. C'est une bonne période pour vous connaître mieux et pour élargir vos horizons. Restez simplement réaliste sur le plan des finances.

En *novembre*, vous serez attiré par les défis de toutes sortes qui se présenteront en grand nombre. Vos activités vous tiendront certainement occupé, et vous pourriez vivre un succès bien mérité. Très sociable, vous pourriez faire des rencontres utiles et intéressantes. Tout ce qui concerne votre carrière se réalisera selon ce que vous espériez. Vous ferez preuve de souplesse, de sociabilité et serez également habile. Restez tout de même honnête, et n'essayez pas d'obtenir des avantages non mérités, car ça vous retomberait sur le nez tôt ou tard. Vous devriez à coup sûr vivre une forme ou l'autre de réussite au travail ou dans une activité qui vous tient à cœur. Faites simplement attention de vous reposer le soir venu. Ne brûlez pas la chandelle par les deux bouts.

Au mois de *décembre*, vous serez d'humeur sociable et pourrez réaliser vos objectifs avec une relative facilité. Tout va dans le sens de la famille et des regroupements amicaux. Même au travail ou dans vos activités, vous serez plus à l'aise si vous devez fonctionner en équipe. En fait, il sera impératif de vous joindre à un groupe, car c'est vraiment là que vous pourrez donner toute votre mesure. Ne restez pas seul, vous vous ennuierez. Beaucoup d'impulsivité, de fêtes, de transports spontanés, de capacités de démontrer chaleureusement ce que vous ressentez en cette période. L'année qui vient sera sous le signe d'une transformation profonde pour vous.

牛

Le Buffle

Vous êtes équilibré, tenace et travailleur.

On admire votre courage, votre loyauté
et votre sincérité.

Vous savez ce que vous voulez
et vous l'obtenez souvent.

***

Buffle de Bois : du 25 janvier 1925 au 12 février 1926

Buffle de Feu : du 11 février 1937 au 30 janvier 1938

Buffle de Terre : du 29 janvier 1949 au 16 février 1950

Buffle de Métal : du 15 février 1961 au 4 février 1962

Buffle d'Eau : du 3 février 1973 au 22 janvier 1974

Buffle de Bois : du 20 février 1985 au 8 février 1986

Buffle de Feu : du 7 février 1997 au 27 janvier 1998

Buffle de Terre : du 26 janvier 2009 au 13 février 2010

牛

La personnalité du Buffle

Le Buffle est le serviteur de l'intégrité et du droit chemin; c'est un coureur de fond, un être courageux, qui sait construire solidement tout ce qu'il entreprend. Il voit loin et à long terme. C'est un lent qui prend le temps de considérer tous les aspects d'une question avant d'agir. Sa persévérance et sa patience ne font pas de doute. C'est aussi un être généralement cultivé et souvent un autodidacte. On le dit également individualiste, solitaire et doté d'une morale à toute épreuve. Il aspire à la sagesse tout en étant matérialiste. Ses valeurs sont traditionnelles; il peut manquer de fantaisie, mais il a un bon équilibre intérieur. On dit qu'il a autant de mémoire qu'un éléphant et que son esprit d'analyse et de synthèse se développe avec le temps.

Au travail, aucun obstacle ne rebute le Buffle. Résolu, il n'a pas peur de l'adversité. Son endurance et sa persévérance en font un des meilleurs travailleurs du zodiaque chinois. Ayant le plus souvent une bonne résistance psychique et physique, il peut exceller dans tous les domaines. De toute façon, il est à l'aise partout, pourvu qu'il y ait du pain sur la planche. Très organisé, il atteint ses buts et il ne compte que sur ses propres forces. Heureusement, il a un sens pratique à toute épreuve. Il n'aime pas prendre des décisions sans avoir fait le tour d'une question. Il adore élaborer des plans et n'agit qu'après une minutieuse préparation.

Son intelligence est analytique et il préfère ce qui est concret et précis à de vagues intuitions. En tout, il a besoin de garanties fermes et de respect de la part des collègues, des patrons et des employés. Ce n'est pas non plus un innovateur, il est plus efficace dans la continuité que dans le changement. On l'admire pour sa fermeté et sa droiture. Une collaboration avec un natif du Buffle demande de se ranger résolument à ses côtés: ce sera à vous de changer et non à lui. La communication et la négociation ne sont pas sa force et il a avantage à s'entourer de gens qui expriment facilement leurs convictions. Il a des qualités de chef, mais il peut se montrer exigeant et intransigeant sur des questions ayant peu d'importance: il a parfois des idées fixes dont il ne démord pas. De plus, il ne délègue pas facilement. Malgré son assiduité, il n'est pas tellement attiré par le pouvoir et peut très bien se contenter d'être un excellent second ou de faire partie d'une équipe. C'est un être dévoué qui assume souvent plus que sa part de responsabilités. Sa grande force naturelle inspire confiance.

En matière d'argent, étant donné sa nature posée, on pourrait le croire économe; pourtant, il ne le devient qu'avec le temps et l'expérience. En réalité, l'argent lui sert à se consacrer à ses travaux sans s'en faire. Il peut se restreindre quand c'est nécessaire; à long terme, il n'éprouve généralement pas de problèmes financiers. N'étant pas avide, il n'a pas de désirs impossibles à réaliser. En fait, c'est un être frugal de nature.

Du côté affectif, le Buffle est stable, honnête et loyal. On le dit aussi sélectif. Il aime beaucoup expliquer ce qu'il connaît et partager ses découvertes. Il est également très discret et l'on peut se confier à lui sans aucune inquiétude. Il a une grande force d'âme et protège toujours ses proches. Mais il est possible qu'il ait peu d'amis, car il n'a pas un caractère très sociable. En famille, il est ultra-responsable et ne néglige pas de prendre soin de ses proches. Il a un côté dominateur.

En amour, c'est un sensuel, très attaché au confort et à son bien-être. Du point de vue sentimental, il est pudique. Il peut vivre en célibataire, s'il ne rencontre pas l'âme sœur. Il n'a pas tendance à s'engager dans des relations passionnelles ou déséquilibrées. Quand il s'engage (ça peut être long), c'est pour la vie. Il honore toujours ses promesses. La femme Buffle a l'air d'une dure à cuire; en réalité, elle est plutôt vulnérable. Elle a un bon sens pratique et si elle se marie, elle s'occupe de ses proches comme pas une. En toute circonstance, elle donne ce qu'elle a de mieux. L'homme parle franchement. C'est un grand réalisateur. Il est bon et stable, mais un peu orgueilleux. Avec le temps, il apprendra que voir les autres gagner une fois de temps en temps ne fait que du bien.

Ses rôles

- L'enfant est autonome et responsable. Il veut plaire à ses aînés.
- Le parent est exigeant et responsable. Il a l'esprit de famille.
- L'amoureux est réservé, mais intense et dévoué. La confiance compte par-dessus tout à ses yeux. Il recherche la stabilité et l'harmonie, mais il devine mal les malaises.
- L'enseignant est rigoureux, vif et protecteur.
- En affaires, le Buffle est honnête et industrieux. Il ne s'associe pas à la légère.
- Le patron tolère mal les baisses de productivité. Plutôt avare de compliments, il est pourtant un bon chef.
- L'ami ou le collègue est sélectif et très fiable. Être son ami, c'est pour la vie.
- L'ennemi pardonne difficilement, ne montre pas ses blessures. Le Buffle est mauvais perdant.

Ce qu'il représente

Le Buffle est symbole de force tranquille, de courage et de persévérance. Il résiste à tout. Il a longtemps été l'animal des labours et des récoltes. Pour les Chinois, il symbolise avant tout la sagesse : celui qui travaille dans la paix et pour la paix. Il était la monture de Lao-tseu, le grand philosophe chinois à l'origine du taoïsme.

Les éléments

Le Buffle de Métal est prudent, constant, calculateur, rationnel, éloquent et sûr de lui. L'élément Métal donne au Buffle des nerfs d'acier et une grande détermination.

Le Buffle d'Eau est calculateur et aussi tenace que souple. Il peut se concentrer sur plusieurs tâches à la fois. L'élément Eau confère au natif de la patience et un esprit très aigu.

Le Buffle de Bois est plus innovateur et adaptable que les autres natifs du Buffle. L'élément Bois favorise chez lui l'expansion et l'épanouissement, le bonheur et la générosité.

Le Buffle de Feu est franc, sûr de lui et maître de lui-même. L'élément Feu le pousse à s'extérioriser, mais il peut aussi le rendre excessif. Ce Buffle voudra diriger.

Le Buffle de Terre est réaliste, loyal et décidé. L'élément Terre renforce son sens de la réalité et son esprit pratique. Le natif déteste perdre ce qu'il a conquis.

Harmonies et conflits

++ Le Buffle s'entend particulièrement bien avec le Coq et le Serpent : tous trois réfléchissent avant d'agir. Leurs décisions et leurs choix sont basés sur des facteurs rationnels. Le Buffle et le Coq travaillent, travaillent et travaillent encore. Le Buffle et le Serpent trouvent le bonheur ensemble.

\+ Le Buffle et le Rat s'entendent bien. Ils peuvent aisément poursuivre un même but. Ils ont peu de grands besoins et perçoivent l'argent de la même façon. Le Buffle et le Lièvre font une association solide : le premier apporte la stabilité ; le second, l'imagination.

– Le Buffle ne s'entend pas avec la Chèvre. La frivolité de cette dernière le heurte. Le Buffle vit de faits ; la Chèvre, de fantasmes et d'instinct. Ils n'ont pas le même rapport avec les sentiments, l'argent, le travail ; bref, tout les sépare.

牛

Prévisions pour le Buffle

La valeur d'un homme ne se mesure pas à son argent, à son statut ou à ses possessions. La valeur d'un homme réside dans sa personnalité, sa sagesse, sa créativité, son courage, son indépendance et sa maturité.

Mark W. B. Brinton

Du 31 janvier 2014 au 18 février 2015

Voici une année axée sur l'organisation, la planification, la négociation et les différentes formes de service aux autres. Vous entrez de plain-pied dans la quotidienneté ; vous vous attarderez sur ce qu'elle a de bon à vous donner et de quelle façon vous pouvez l'améliorer. Votre créativité semblera un peu en berne, vous aurez une approche plutôt routinière, plus répétitive, et vous serez davantage pris par les soucis et les joies de la vie de tous les jours.

Votre attention se portera précisément sur des questions de travail, de responsabilité et de devoir. Vous serez également intéressé par tout ce qui concerne la santé, la vôtre comme celle de vos proches. Ainsi, vous apporterez probablement des changements dans vos activités, qu'il s'agisse de votre emploi ou de votre vie quotidienne.

Les questions familiales retiendront votre attention, et vous verrez les choses sous leur angle pratique. Vous apprécierez le fait de vivre dans un environnement qui correspond à vos besoins de confort et esthétiques.

En ce qui concerne la santé, vous choisirez peut-être de changer votre mode de vie de manière qu'il corresponde davantage à vos besoins actuels. Vous aimerez bouger, et si vous n'êtes pas déjà sportif, vous pourriez vous y mettre. On change tous les jours de sa vie, vous le constaterez particulièrement cette année. Vous serez aussi intéressé par ce que vous vivez sur le plan psychologique et, à ce sujet, vous réfléchirez à certaines formes d'insécurité que vous ressentez parfois et qui ont de moins en moins de raison d'être dans votre vie. Cela étant, vous aurez le cœur sur la main et serez travaillant (comme toujours), ce qui vous donnera la possibilité d'apporter encore un peu plus de bonheur à vos proches. Vous n'hésiterez pas à rendre service, ce qui sera certainement apprécié.

Au cours des prochains mois, vous réorganiserez votre quotidien afin qu'il vous convienne parfaitement. Ou presque parfaitement! Ce sera une année relativement simple durant laquelle vous n'aurez pas tendance à trop rêver. Vous concrétiserez un ou deux projets. Comme vous attendrez assez peu de la vie et des gens, vous aurez la sensation de récolter beaucoup.

Vos amours

Votre année sera sous le signe de la maison, de la famille, d'un lieu de vie, des proches. Mais cela n'empêchera pas votre vie sentimentale d'être active, bien au contraire. Vous aurez une attention qui favorisera les rapprochements amoureux. L'amour, c'est beaucoup des attentions que l'on donne à l'autre, à l'élu de notre cœur. Et des attentions, des délicatesses, des compliments, des soins, vous aurez beaucoup de facilité à en donner durant les prochains mois. Vous aurez même tendance à mettre votre partenaire (ou l'être rêvé) sur un piédestal. Vous réaliserez que les couples heureux sont ceux qui ont des champs d'intérêt communs, et ceux qui éprouvent une profonde amitié l'un envers l'autre.

Vous jaugerez votre relation intime à l'aune du quotidien partagé. Si tout va bien, vous réaliserez qu'une part primordiale de ce qui vous rapproche de l'être aimé provient de votre compatibilité en ce qui concerne les questions reliées à la maison. Autrement dit, vous êtes bien ensemble parce que vous appréciez la vie de tous les jours ensemble. Vous chercherez aussi à découvrir les besoins réels de votre partenaire. En amour, cette année, vous serez celle ou celui qui veille sur l'autre, qui en prend soin, qui se préoccupe de sa santé, de son sommeil, de la vie de tous les jours en somme.

L'amour est un hasard qui s'aventure
sur le chemin du destin.

Umar Timol

Célibataire, ce sera une bonne année pour une rencontre, car vous dégagerez une énergie et une sensibilité fortes. Vous serez droit, sincère, pas flafla pour deux sous ; vous serez aussi un peu routinier et une personne au caractère passionné pourrait vous trouver un peu « ordinaire ». Ce n'est pas que vous serez ordinaire, mais vous paraîtrez parfois tel, car vous n'aurez pas tendance à vouloir briller à tout prix. Vous serez même très éloigné de tout cela. En réalité, si vous faites une rencontre déterminante cette année, ce sera avec une personne terre à terre, une personne qui vous accueille tel que vous êtes. Intéressez-vous à ce que l'autre pense, croit, rêve, vit, dit et, surtout, à ce qu'il fait, à sa façon d'agir. Vous saurez rapidement si une relation en vaut la chandelle, alors de grâce écoutez votre petite voix intérieure. Si vous souhaitez rester célibataire, l'année s'annonce également positive et vous privilégierez alors l'amitié.

En couple, vous connaîtrez un bon équilibre au jour le jour. Les rapprochements se feront par des activités communes plus que par les conversations, quoique vous aimerez bien entendre ce que l'être aimé pense de tel ou tel sujet. Vous désirerez également que votre partenaire vous en apprenne sur la vie. Restez aux aguets quant à ses besoins réels, et répondez-y si vous le pouvez. Vous pourriez faire à deux des changements à la maison. Certains couples déménageront. De toute façon, il y aura une réorganisation du quotidien dans laquelle vous excellerez même si d'habitude ce n'est pas le cas. Cette année, en fait, vous serez très physique, très près de votre corps et, donc, de celui de l'être aimé. Vous vous aimerez physiquement. Faire des activités sportives ensemble pourrait aussi vous rapprocher. Votre apport à une vie heureuse à deux sera positif au cours des prochains mois. Vous saurez que c'est dans les détails que le bonheur se trouve.

Cœur atout!

Corps atout, devrait-on dire. En effet, c'est par une forte sensualité que vous connaîtrez des moments de bonheur. Vous n'oublierez pas que nos sens agissent sur toute notre vie.

Vos activités

Cette année, c'est du côté de vos activités que les prises de conscience seront les plus nombreuses. Vous êtes toujours d'un naturel travaillant et efficace, mais au cours des prochains mois, vous le serez encore davantage. Vous vous préoccuperez fortement de productivité, et vous voudrez améliorer tant votre façon de faire que celle des gens qui vous entourent. Attention toutefois de ne pas exagérer si vous sentez que la résistance des autres est grande.

On pourrait vous donner de nouvelles responsabilités, vous pourriez acquérir de nouvelles connaissances ou de nouveaux outils. Une seule chose est certaine: vous serez très actif au cours des prochains mois. Vous avez sûrement déjà remarqué que certaines personnes donnent peu pour recevoir beaucoup, tandis que d'autres doivent donner beaucoup pour recevoir peu, voire très peu. Eh bien, cette année, vous serez plutôt dans la seconde catégorie: le retour de votre investissement sera parfois maigre, trop maigre à votre goût. Rien de dramatique, juste une récolte moyenne! Cela dit, vous aurez le temps (et surtout l'intérêt personnel) d'améliorer vos méthodes de travail, ce qui est toujours profitable à long terme même si vous n'en percevez pas les bénéfices dans l'immédiat.

Très efficace, vous atteindrez vos divers objectifs. Gardez simplement en tête de ne pas vous faire des ennemis en cours de route. Vous possédez des qualités que tous reconnaissent: votre loyauté, votre intégrité et votre dévouement seront très appréciés des gens qui vous côtoient. Il faudra juste veiller à ne pas trop vous stresser et à ne pas épuiser votre entourage. Vos nerfs seront sensibles, il faudra en prendre soin, savoir vous arrêter, même quand parfois vous serez tenté de continuer. Ralentissez, vous verrez qu'on en fait autant quand on prend son temps. On arrive juste au but moins fatigué. Ainsi, vous pourrez aller d'un projet à l'autre.

Les patrons, les collègues et les associations

Si vous êtes en position d'autorité, vous ne profiterez pas de votre statut pour écraser les autres ; vous les inspirerez. Avec vos patrons, vous serez le meilleur des employés, tellement efficace qu'ils pourront se reposer sur leurs lauriers. Attention à ce qu'on n'abuse pas de vous. Vous aurez de bons rapports avec les collègues. Tous les liens égaux sont favorisés cette année. Par ailleurs, vous serez un peu «*nerd*», alors on pourrait vous jalouser. C'est une bonne année pour les associations, à condition que ce soit avec des gens travaillants ou qui ont d'excellentes idées. Là où vous serez le plus efficace, c'est dans le service aux autres. Si vous êtes un soignant, vous guérirez bien du monde. Si vous faites du bénévolat, on sera heureux de vous avoir.

L'argent et les biens

Vous aurez peut-être le champ libre pour augmenter vos biens en travaillant un peu plus, mais vous réussirez plutôt à maintenir un équilibre en étant plus actif que d'habitude. Il n'y a pas de malchance ou de chance dans votre ciel des prochains mois, il n'y a que les résultats des efforts fournis. Par ailleurs, vous ne devriez pas avoir une trop forte propension à des dépenses folles. Vous serez réaliste, et vous comparerez les prix avant de faire des achats.

Vous pourriez changer votre manière de dépenser en ce qui concerne votre vie quotidienne : ainsi, une alimentation différente pourrait vous coûter un peu plus cher et être meilleure pour votre santé. Si vous faites de gros achats, ce sera pour votre maison, votre famille. Comme vous aurez une certaine tendance à être inquiet, cela pourrait se répercuter sur votre attitude face à l'argent ; tâchez d'abord de voir vos craintes en face, d'y réfléchir, de les comprendre, puis laissez-les s'envoler pour de bon. Rien ne sert de se tracasser, surtout lorsque les inquiétudes sont imaginaires. Dressez votre budget, respectez-le autant que possible et croyez bien que vous saurez très bien tirer votre épingle du jeu : vous avez un talent pour la gestion de vos biens. Actualisez-le si ce n'est pas déjà fait.

Une ou deux astuces pour réussir

- Gérez vos avoirs sans vous inquiéter, sans rêver, sans vous illusionner.
- Un passe-temps pourrait un jour vous rapporter de l'argent, à condition d'y consacrer du temps et des efforts.

La forme, la santé et les loisirs

Voici une année pour vous remettre en forme physique (si vous ne l'avez pas fait ces dernières années) ; vous prendrez certainement de bonnes habitudes alimentaires au cours des prochains mois. En fait, vous vous intéresserez à tout ce qui touche la santé et agirez pour être au mieux de votre forme.

Côté loisirs, privilégiez les sports, les exercices, les longues randonnées, enfin tout ce qui demande une participation du corps. Si vous êtes à la recherche d'une activité que vous aimeriez pratiquer, demandez-vous si vous préférez faire des exercices seul, à deux ou en équipe. Cela vous donnera une première balise pour choisir. On peut faire de la bicyclette en solitaire, mais on joue au tennis à deux. Pensez aussi qu'il n'y a pas que les exercices ou la pratique sportive ; par exemple, la méditation ou des massages réguliers pourraient vous faire du bien, vous aider à ralentir, vous détendre. Si vous choisissez de voyager cette année, soyez prévoyant et ne partez pas à l'aventure sans vous préparer comme il faut. N'oubliez pas de faire plusieurs courtes escapades à la campagne ou pas très loin de chez vous. Vous serez aussi très heureux de faire du *cocooning* ; vous pourriez, par exemple, changer le décor d'une pièce de la maison ou, pourquoi pas, la rénover. Le simple fait de se trouver dans la nature donne l'occasion de changer d'état d'esprit. C'est ainsi que vous serez véritablement inspiré.

L'amitié

Vos amitiés seront équilibrées, sans grands changements à l'horizon si ce n'est que vous serez près de quelques amis triés sur le volet et plus loin des autres. Vous n'aurez pas tendance à être plus sociable que vous ne l'êtes naturellement au cours des prochains mois et préférerez sans doute la compagnie des gens de votre intimité à la possibilité de faire de nouvelles rencontres. Des activités communes vous rapprocheront d'amis d'enfance. Vous verrez que vous n'en êtes pas si loin même si vous les voyez plus rarement. Par ailleurs, vous vivrez une belle relation d'amitié avec votre partenaire de vie et vos enfants.

La famille

Des rapprochements avec votre famille d'origine sont probables, en particulier s'il s'agit de frères ou de sœurs. Vous aurez le pôle stable cette année, et l'on se confiera facilement à vous. En ce qui concerne vos enfants ou petits-enfants, vous saurez vous mettre à leur diapason et les communications seront excellentes. En réalité, vous n'aurez rien perdu de votre cœur d'enfant et pourrez partager vos impressions d'égal à égal. Vous stimulerez les proches!

Ce qu'on aimera de vous cette année

On aimera votre humilité, votre sens du devoir, votre goût pour les efforts, votre sensibilité, même si elle se cache parfois derrière un masque, votre entièreté et votre intégrité.

Trois défis

- Pensez tout d'abord à vous détendre physiquement, c'est ainsi que vous serez plus souple psychologiquement.
- Préoccupez-vous de votre santé et prenez vraiment de bonnes habitudes: ce que vous sèmerez aujourd'hui produira des fleurs et des fruits demain.
- Pour toute négociation, évitez les affrontements et les disputes; optez plutôt pour la diplomatie et le respect.

L'année selon votre élément

Buffle de Métal

Si vous avez pris un peu plus de temps pour vous et pour votre vie intime l'an dernier, vous serez de nouveau sur la sellette cette année. Vos activités risquent de vous tenir très occupé et vous impressionnerez tout le monde par votre grande capacité de travail. Si vous travaillez à un projet depuis longtemps, il avancera considérablement en cette période et vous pourriez même y mettre la touche finale. Vous excellerez si vous devez négocier, si vous amorcez ou finissez un projet, si vous êtes en position de rendre des services ou de soigner des gens. Vous serez peut-être assez peu sociable, alors évitez ce qui ne relève pas de la stricte intimité. Le *cocooning* vous conviendra très bien en dehors des heures de travail. N'oubliez pas de faire du sport en famille pour vous détendre.

Buffle d'Eau

Vous serez souple cette année, et cette qualité aura d'heureuses répercussions sur votre vie quotidienne. Vous accueillerez les remarques, les critiques et les tournerez à votre avantage. Si vous poursuivez un projet particulier, il prendra son envol. En famille, vous aurez une patience impressionnante et une écoute attentive. Les enfants auront toute votre attention, et vous serez très prévenant envers l'être aimé et les gens que vous aimez. Soyez actif physiquement et vous serez très en forme psychologiquement. Pour être en bonne santé (même si vous ne vous en rendez pas compte, il faut s'en occuper maintenant pour être bien dans quelques années), modifiez donc votre alimentation. N'en devenez pas pointilleux, mais pensez que l'on est jusqu'à un certain point ce dont on se nourrit. Des questions d'ordre familial vous tiendront occupé et vous pourriez faire une acquisition importante.

Buffle de Bois

Cette année, vous vivrez une période harmonieuse en même temps que de grands changements sur le plan de votre perception du monde. Vous deviendrez plus sérieux, plus responsable, plus enclin à voir à long terme ce que la vie peut vous offrir et ce que vous pouvez offrir à la vie. Vous tisserez de bons liens avec tous, mais votre famille sera au cœur de vos préoccupations, en particulier si vous êtes parent. Autrement, l'amour vous tiendra bien au chaud. Des rapprochements vous seront précieux, et vous rencontrerez des gens qui ont les mêmes valeurs et croyances que vous. En compagnie d'une personne qui vous ressemble, vous verrez que tout se facilite. Des projets se réaliseront. Vous saurez mieux sur quel chemin vous vous trouvez et serez heureux de constater que vous prenez de plus en plus votre place dans le monde.

Buffle de Feu

Il y a une étoile qui veille sur vous cette année. Vous agirez avec douceur, avec doigté, avec diplomatie, et cela aura des répercussions sur toutes vos relations et sur vos projets. Vous aurez le cœur tendre et on se trouvera bien en votre compagnie. Par ailleurs, vous serez tout de même travaillant et donc probablement bien occupé. Il n'y a pas d'ennui dans votre ciel, il y a du calme, de la paix, des rencontres, des réjouissances. Pour votre santé, pensez à bouger davantage pour être en forme. En vivant en harmonie avec votre corps, en le respectant, en l'aimant et en l'obligeant parfois à faire quelques efforts musculaires, vous aurez davantage d'énergie. Votre créativité sera remarquable, et si vous pouvez vous adonner à un loisir qui requiert toute votre imagination, vous vous en trouverez très heureux. Un voyage pourrait ouvrir encore plus votre esprit. Vous cultivez naturellement une passion contenue, cette année vous lui trouverez un chemin d'expression.

Buffle de Terre

Voici de nouveau une année importante pour les natifs de votre signe : cette fois, il est clair que vous prendrez le temps de réfléchir à l'avenir et de planifier le futur de manière à ralentir dans les prochaines années. Vous pourriez modifier un peu vos activités et aller vers de nouvelles préférences. Des questions de santé feront surface et vous prendrez très au sérieux tout ce qui concerne votre bien-être physique et psychologique. En adoptant un rythme de vie qui vous convient, vous serez bien dans votre peau et profiterez pleinement de la vie. Vous serez en grande communication avec vos petits-enfants. Autrement, l'intimité vous tiendra occupé et il pourrait y avoir des changements importants de statut conjugal. Votre sens inné de l'adaptation ne fera pas défaut. Une année riche en événements.

Au fil des mois

En *janvier*, vous serez surtout intéressé par vos associations tant du point de vue personnel que du point de vue intime. En ce qui concerne vos amitiés, essayez d'agir délicatement, car on pourrait vous reprocher une attitude un peu distante. C'est que vous serez énergique et n'aurez pas envie d'entendre parler des sempiternelles mêmes histoires ; mais tout de même, un peu de patience ne nuira pas. Côté cœur, vous serez difficile à suivre, mais si l'être aimé est habitué à vous, il ne s'en fera pas trop. Intérieurement, vous éprouverez un besoin de tranquillité. Des projets se terminent en cette période, et vous pourriez être ravi des résultats. Les efforts que vous avez fournis dans le passé se révéleront payants à tous points de vue.

Travaillez en solitaire en *février*, réservez-vous des moments de calme, ne voyez pas trop de monde, car vous serez plus ou moins sociable. Vous espérerez des changements, et ils auront lieu, mais ce sera à un rythme assez lent. Soyez patient, continuez d'être méthodique, détendez-vous souvent, et vous concrétiserez vos projets. Une chose est sûre, vous réaliserez que, sur le plan matériel, tout s'allège. Cela dit, durant les premières semaines du mois, vous serez à l'heure du bilan, vous vous questionnerez sur tout, et les réponses ne vous sembleront pas simples. Dans vos contacts avec les gens, ce sera une bonne idée de parler franchement de ce que vous ressentez sans tenter d'être absolument rationnel ou cohérent. Intellectuellement, vous serez imbattable... et ça durera un bon moment.

En *mars*, vous pourriez être félicité pour un travail accompli il y a déjà un moment, ou obtenir une promotion inattendue. Vous serez au centre de l'attention durant les prochaines semaines, et vous vous sentirez heureux de votre chance. Toutefois, votre énergie ira en dents de scie; attention, car vous pourriez vraiment vous retrouver à plat si vous oubliez de vous détendre. Cultivez le calme, apprenez une technique de méditation, et vous vous sentirez bien dans votre peau. En amour, vous pourriez vivre quelques difficultés temporaires si vous ne prenez pas la peine de dire simplement ce que vous ressentez et d'écouter ou d'observer ce que votre partenaire vit. Avec un proche, quelques insatisfactions ou incompréhensions devraient être exprimées, cela vous libérera et soulagera la personne concernée. Prenez la vie simplement, elle vous le rendra bien.

Avril sera propice à une augmentation de revenus ou à des gains inattendus, mais les dépenses suivront bien vite. Vous vous étonnerez de la vitesse à laquelle entre et sort votre argent. Intérieurement, vous serez vif et vraiment en forme durant les prochaines semaines. Vous comprendrez bien des choses et vous adapterez à toute situation nouvelle en un rien de temps. Vous aurez aussi beaucoup d'idées novatrices et n'aurez pas du tout tendance à vivre dans le passé. Côté cœur, vous aurez le désir de vous fondre dans l'être aimé, vous serez très amoureux et très tendre en cette période. Si vous êtes seul, il est peut-être temps d'oser faire quelques pas vers une personne qui vous plaît. Autrement, restez bien au chaud dans les bras de votre amour.

Vous écouterez un peu plus difficilement que d'habitude ce que les autres ont à dire en *mai*. En fait, vous parlerez beaucoup, mais votre bon discernement et votre esprit vif n'ennuieront personne. Au travail et dans vos activités, faites part de vos idées, donnez des suggestions, proposez du nouveau, il y a de fortes chances que vos propos soient favorablement accueillis. Côté cœur, vous serez très sentimental et peut-être même possessif en cette période. Essayez de ne pas devenir trop jaloux, aimez, on vous aimera en retour. Mais pour aimer vraiment durant les prochaines semaines, il faudra agir, accomplir des gestes tangibles, préparer de bons repas, proposer des sorties, imaginer quelque chose qui sort de l'ordinaire. Osez proposer du neuf, ne vous enlisez pas dans la routine, ce serait ennuyeux.

En *juin*, vous aurez peut-être un peu de fil à retordre. En fait, il sera important de suivre le courant et de rester souple. Si vous sentez que la moutarde vous monte au nez un peu trop souvent, prenez l'habitude de faire de la bicyclette, de la natation ou tout autre sport ou activité qui vous donnera l'occasion de dépenser de l'énergie. Il sera utile que vous vous libériez physiquement en cette période, autrement vous ne serez pas en forme le reste de l'été. Faites même un petit régime ou, à tout le moins, ajustez vos besoins à la saison : choisissez les salades plutôt que les viandes et les plats trop lourds. Au travail comme à la maison, évitez les conflits autour du quotidien. Entendez-vous sur ce que chacun doit faire et passez à autre chose. Côté cœur, vous parlerez longuement avec celui ou celle que vous aimez, et cela facilitera votre vie. Vous aimerez beaucoup sortir et recevoir en cette période. Somme toute, voilà un mois qui sera équilibré.

Juillet sera un excellent mois pour jouer, vous trouver auprès des proches, pour être en vacances, pour rire, pour sortir, pour danser et pour toute activité créative. Tout va en ce sens. Vous aurez le goût de l'action et vous enthousiasmerez facilement. En amour, vos sentiments s'exprimeront de manière à la fois simple et grande. Si vous êtes célibataire, regardez autour de vous ; si vous êtes en couple, concoctez avec votre douce moitié des soirées spéciales, vous en serez enchanté. Dans vos activités, vous saurez tenir compte de ce qui doit être fait et agir au bon moment et de la bonne façon. Les échanges avec les collègues pourraient malgré tout rester un peu tendus, mais ne vous en faites pas si tout le monde n'est pas en forme autour de vous. En matière d'argent, rien ne s'opposera à la réalisation de vos projets. Intérieurement, vous serez imaginatif. Une belle saison.

Vous serez assez en forme en *août*, mais vous aurez besoin d'une certaine régularité pour vous sentir vraiment bien dans votre peau. En ce qui concerne votre régime alimentaire, attention à ce que vous mangez, alimentez-vous de manière à maintenir une bonne forme physique. N'oubliez pas qu'on a la psychologie de notre biologie. Côté cœur, vous vivrez des rapprochements tendres avec l'être aimé, et vous rirez beaucoup à deux. Célibataire, vous aurez de grandes tentations ce mois-ci, auxquelles vous ne pourrez résister. Faites-vous tendre et aimant. Intérieurement, vous serez à la recherche de nouveauté. En fait, vous tendrez à joindre un groupe, une équipe durant les prochains mois. Cela serait bon pour vous.

En *septembre*, vous aurez une énergie positive en ce qui a trait à vos associations. Vous serez à l'écoute des gens, et ce sera réciproque. Vous serez capable de travailler de concert avec les autres, sans que personne y perde son individualité. Malgré tout, dans toute association, précisez ce que vous attendez, soyez clair et ne laissez rien dans le vague, l'incompris, le non-dit. En amour, vous aurez également une énergie positive à l'égard de votre partenaire, et vous ferez en sorte que votre communication soit bonne. Voilà une excellente période pour tout ce qui concerne vos sentiments, tant en amour et en amitié qu'en famille ou avec les gens de votre voisinage. Rien ne vous fera sortir de vos gonds. Si vous ressentez un tout petit peu de tension, il faudra dépenser votre énergie physiquement ! En matière d'argent, vous ferez de bonnes affaires vers la fin du mois, mais elles seront encore meilleures en octobre.

Vous aurez des idées plein la tête et un goût irrépressible d'apporter des changements dans votre vie en *octobre*. Vous voudrez peut-être joindre un groupe, pratiquer un sport en équipe ou participer à un parti politique. Il semble, en tout cas, que vous auriez avantage à vous joindre à d'autres, en dehors de vos activités habituelles et de votre vie intime. Ajoutez une corde à votre arc. En matière d'argent, il est clair que vous serez capable d'améliorer votre situation. En amour, vous serez passionné et très chaleureux. Si vous êtes célibataire, vous ruerez dans les brancards et prendrez votre mal en patience ; si vous êtes en couple, vous vous rapprocherez de votre partenaire. En matière d'argent, ce sera une période faste ; vous constaterez que vos efforts ont porté des fruits et que votre volonté est agissante.

Novembre sera propice à tout apprentissage. Vous serez curieux et irez au fond des choses sans que cela vous demande un grand effort. Si vous êtes aux études ou si votre emploi exige d'être vif intellectuellement, vous aurez beaucoup de facilité durant les prochaines semaines. Côté cœur, vous pourriez vivre des sentiments tendres à l'égard d'une personne dont la culture diffère de la vôtre. Vous serez de toute façon très rêveur et romantique en cette période. C'est un bon moment pour vous rapprocher des gens que vous aimez, mais vous serez peut-être tenté de rêver plutôt que d'agir. À la fin du mois, vous entrerez dans un cycle nouveau : vous deviendrez plus ambitieux et décisif.

Vous éprouverez un grand besoin de nouveaux défis en *décembre*, et il faudra répondre à ce besoin sous peine de ne pas vous sentir en forme. On pourrait vous demander de faire vos preuves, on vous fera peut-être des honneurs, on vous proposera un nouveau projet ou vous irez vous-même vers quelque chose de neuf. Quoi qu'il en soit, intéressez-vous de près à votre emploi du temps et maximisez les résultats en réorganisant certaines étapes. Vous serez sociable durant cette période de l'année, et vous aurez du plaisir à sortir. Vous pourriez rencontrer des gens avec qui vous aurez des affinités. C'est un mois des plus intéressants qui s'annonce. Seul bémol, vous n'aurez peut-être pas envie d'assumer seul tout le travail pour recevoir. Déléguez, demandez qu'on vous aide. Préparez-vous mentalement à vivre une prochaine année durant laquelle vous serez le plus tendre des signes du zodiaque chinois.

Le Tigre

Vous êtes volontaire, déterminé et énergique.

Votre esprit est vif et pénétrant.

Né sous une bonne étoile et enthousiaste,
vous irez loin.

Être chef vous convient parfaitement.

***

Tigre de Feu : du 13 février 1926 au 1er février 1927

Tigre de Terre : du 31 janvier 1938 au 18 février 1939

Tigre de Métal : du 17 février 1950 au 5 février 1951

Tigre d'Eau : du 5 février 1962 au 24 janvier 1963

Tigre de Bois : du 23 janvier 1974 au 10 février 1975

Tigre de Feu : du 9 février 1986 au 28 janvier 1987

Tigre de Terre : du 28 janvier 1998 au 15 février 1999

Tigre de Métal : du 14 février 2010 au 2 février 2011

La personnalité du Tigre

Le Tigre est vif et rebelle. Doté d'un tempérament énergique et courageux, il peut être audacieux jusqu'à l'imprudence. Chose certaine, les risques ne l'effraient pas. C'est un grand amoureux de la vie et elle le lui rend bien. Il lui faut des aventures, des dangers, des élans, des défis et des folies.

Le Tigre a toujours fière allure. Il peut même avoir un côté poseur. Pour lui, la vie est un immense théâtre. C'est aussi un être généreux à l'âme noble. Il dit simplement ce qu'il pense, il est direct, que ça plaise ou non. Pour lui, il n'y a pas de situation désespérée et même s'il a souvent des inquiétudes, il sait comment fuir les situations qui ne lui conviennent pas.

Le natif du Tigre aime le prestige, les honneurs, l'apparat et il respecte la hiérarchie. Il est à l'aise quand il est au centre de l'attention. Il ne connaît pas la demi-mesure. Il ne suit pas les chemins déjà balisés : c'est un innovateur. En plus, il a un sens de l'humour très fin.

Dans son secteur d'activité, le Tigre adore les défis et se révèle toujours efficace. C'est un séducteur et un vendeur. Il peut convaincre n'importe qui de n'importe quoi. Être patron lui va totalement. Employé ? Il pourra l'être temporairement, mais pour être bien dans sa peau, il vaudra mieux qu'il gravisse les échelons. Sans espoir d'avancement, il végète et devient triste. C'est un leader-né. Il peut parfois paraître un peu instable parce qu'il réagit fortement quand ça ne va pas. Évidemment, il n'est pas reconnu pour mettre de l'eau dans son vin. Les compromis ne sont pas son fort. Il n'a pas un grand besoin de sécurité ; s'il perd tout, il repart à zéro et remonte la pente. On dit qu'il peut changer d'emploi comme il l'entend.

Il a un côté humanitaire fort qui l'incite souvent à servir une grande cause. En fait, c'est un généreux qui aime l'éclat. Pour bien s'entendre avec lui, il vaut mieux prendre son sens de l'honneur au sérieux. Pour bien travailler avec lui, il faut être franc et sans timidité, car il apprécie la droiture. Il vaut mieux aussi savoir qu'il obéit d'abord à son instinct et à ses émotions. La planification n'est pas son fort, elle ne l'intéresse pas. Il préfère se laisser inspirer. Il ne fixe pas longtemps son attention sur la même chose. Il recherche les défis et excelle dans les communications. Il tolère mal la médiocrité.

En matière d'argent, le Tigre ne souffre pas d'insécurité : engranger lui paraît être une perte de temps. Ce n'est pas un matérialiste, mais il est souvent chanceux et partage facilement ce qu'il gagne. Il établit toujours de bonnes relations en affaires, mais il peut s'enthousiasmer devant la perspective d'un gain, puis perdre de l'intérêt.

Côté affection, on n'est jamais tiède à l'égard d'un Tigre. On l'aime follement ou on le supporte difficilement, mais dans tous les cas, on le respecte. Il séduit par son magnétisme. Il est énergique, entreprenant et il exprime ses désirs sans hésiter. C'est, de fait, un très bon communicateur : il comprend les gens et peut aussi se faire comprendre. Il a une nature affectueuse et aime la compagnie. En famille, il est vivace et prévenant, mais il préfère être au centre de l'attention. En amitié, il mettra assurément du piquant dans votre vie. Il est toujours présent quand un proche est dans le besoin.

En amour, le Tigre est profondément idéaliste et passionné. Il aime les gens qui sortent de l'ordinaire et aspire à une relation exceptionnelle. Il vit des relations hors du commun, aime conquérir et être séduit. Il ne faut surtout pas le décevoir, car il peut renier complètement ce qu'il a ressenti. Madame Tigre a une allure à vous couper le souffle. Elle est d'une indépendance intraitable. Elle sera plus heureuse avec un homme patient. Monsieur Tigre est un chasseur invétéré. Il peut sembler autoritaire ; il est en réalité très sensible à l'effet qu'il produit. Guidés par leurs émotions et leur instinct sûr, les natifs du Tigre, hommes et femmes, impressionnent et s'en tirent bien dans la vie.

Ses rôles

- L'enfant est affectueux et friand des marques d'affection.
- Le parent est plein de vitalité. Il protège ses enfants et il ne les domine pas.
- L'amoureux est ardent et expressif.
- L'enseignant est démocrate: il stimule l'intérêt, il éveille la curiosité.
- En affaires, le Tigre s'associe aux bonnes personnes.
- Le patron est fier, dynamique et imprévisible.
- L'ami ou le collègue met du piquant dans la vie. On peut compter sur lui.
- L'ennemi est intraitable. Il n'a rien contre la rivalité.

Ce qu'il représente

Les Chinois disent que le Tigre «remue le bois», ce qui signifie qu'il fait croître ce qui est vivant et protège les gens contre les désastres naturels. Toujours selon les Chinois, cinq tigres sont considérés comme les protecteurs et les gardiens des portes de la voie de l'espace.

Les éléments

Le Tigre de Métal est passionné, impulsif et anxieux. L'élément Métal peut lui donner un caractère dur. Ce natif a besoin de liberté et de pouvoir pour s'épanouir. Pour lui, vive la compétition!

Le Tigre d'Eau est humaniste, lucide et réaliste. L'élément Eau, en relation avec la sensibilité et les émotions, confère au natif une grande réceptivité, de l'imagination et le besoin d'harmonie. C'est un Tigre intuitif.

Le Tigre de Bois est diplomate et charmant. L'élément Bois favorise chez lui l'expansion et l'épanouissement, le bonheur et la générosité. Le natif se caractérise par sa tolérance.

Le Tigre de Feu est très actif, démonstratif et équilibré. L'élément Feu le pousse à s'extérioriser. Il confère chaleur, générosité et joie de vivre au natif, qui est toutefois difficile à calmer quand il s'enflamme.

Le Tigre de Terre est orgueilleux, compétent, constant et attentif. L'élément Terre renforce son sens de la réalité et son esprit pratique.

Harmonies et conflits

++ Le Tigre s'entend très bien avec le Cheval et le Chien. Ces trois-là se distinguent par leur sens de la justice. Ils sont altruistes et extravertis. Avec le Cheval, le Tigre connaîtra le bonheur en famille et de multiples succès au travail. Au Tigre courageux, le Chien apporte son sens pratique.

\+ Entre le Tigre et le Sanglier, l'entente est mutuelle et durable. Ils se soutiennent et se stabilisent. Dans les liaisons sentimentales prolongées, les Tigre qui choisissent des natifs du Sanglier sont bien inspirés. Le Sanglier apporte sagesse et amour au fervent Tigre.

– Avec le Buffle, le Serpent et le Singe, les relations peuvent être tendues, à moins que l'un d'eux n'ait un ascendant stabilisateur.

Prévisions pour le Tigre

Une forte imagination produit l'événement.

Montaigne

Du 31 janvier 2014 au 18 février 2015

Voici une année de grande créativité pour les natifs de votre signe. Vous aurez le vent dans les voiles au cours des prochains mois et pourrez certainement réaliser quelques-uns de vos rêves grâce à votre vivacité naturelle. Vous répondrez rapidement à des situations nouvelles et changeantes, et vous saurez tirer le meilleur parti de toutes les situations. D'humeur tendre, vous n'aurez pas tendance à vous questionner inutilement ni à vous morfondre en ce qui concerne vos relations personnelles et intimes. Si vous souhaitez changer certains aspects de votre vie depuis quelque temps, ce sera en 2014 le moment d'agir. Des relations chaleureuses viendront relever votre degré de bonheur.

Au jour le jour, vous parviendrez à une meilleure entente avec les gens que vous côtoyez. Vous vivrez d'ailleurs un véritable redoux tant dans votre vie intime qu'auprès de vos amis ou dans le cadre de vos activités. Bien que vous ayez un tempérament passionné, vous aimez bien l'équilibre et, cette année, il y a de fortes chances que vous soyez comblé tant du côté de la stabilité que du côté de vos émotions. En ce qui concerne vos activités, vous pourriez vous tourner vers de la nouveauté ou vers un secteur qui, de prime abord, ne vous intéressait pas. Essayez de rester libre de préjugés : vous verrez que de nouveaux horizons se dessinent qui pourraient se révéler passionnants.

Si vous êtes naturellement créatif, le succès est présent. Si, par ailleurs, vous n'appréciez plus vos activités quotidiennes, vous pourrez vous tourner lentement vers autre chose ou, peut-être mieux encore, vous réaménagerez votre temps de manière à y trouver un nouvel intérêt. Donnez-vous une règle de conduite du genre : « Je vais vers ce que j'aime », et ne vous imposez plus de contraintes, qu'il s'agisse de fréquentation de certaines personnes ou d'activités. Même s'il est souhaitable pour vous cette année de faire ce que vous désirez, ne perdez pas de vue que l'on peut parfois avoir un jugement perturbé lorsqu'on est fatigué ou qu'on a trop longtemps fait la même chose. Donc, même si l'année promet du mouvement, efforcez-vous d'agir avec une certaine lenteur et de bien réfléchir. Avec le recul, vous pourrez prendre une bonne décision quant à votre avenir.

Lorsque vous avez un but en tête, vous y arrivez toujours. Fixez précisément vos objectifs, puis attelez-vous à la tâche pour les atteindre. Si vous jonglez avec l'idée de faire des changements dans votre vie depuis un moment, l'année sera faste en la matière. Autrement, si vous êtes satisfait, continuez d'aller votre petit bonhomme de chemin tout en y mettant le plus d'imagination possible.

Dans votre manière de communiquer, vous serez parfois un peu trop direct ; vous pourriez agir avec une certaine nervosité. Il serait bon de vous distraire davantage et de vous délasser aussi souvent que possible. Essayez donc de ne rien faire du tout une fois de temps en temps, vous verrez que cela repose ! Malgré tout, l'année s'annonce riche pour les rapprochements, les ententes, les engagements et les naissances.

Vos amours

Du côté de vos relations intimes, les prochains mois devraient se révéler riches en rebondissements. Vous aurez une ouverture d'esprit et une écoute qui donneront de la chaleur à vos relations. Très imaginatif, vous créerez une bonne ambiance dans l'intimité. Si vous avez quelque chose sur le cœur, attendez le bon moment pour en parler, et vous pourrez contribuer à régler des problèmes quotidiens. N'oubliez pas d'écouter l'être aimé, ne le surprenez pas trop non plus. Très vif cette année, vous pourriez parfois agir avec un empressement étonnant. Vos idées, comme vos sentiments, seront sans ambivalence, et vous saurez clairement ce qui va et ce qui ne va pas. Si vous souhaitez faire des changements, mettez tout de même des gants blancs, car tout le monde ne sera pas à votre diapason. Au quotidien, vous vivrez bien l'amour, car vous vous sentirez comme un poisson dans l'eau dans toutes vos relations intimes, qu'il s'agisse de l'être cher ou des proches. Même si vous êtes toujours passionné et aimant, vous saurez aimer avec encore plus de grâce. Si vous avez l'âge d'avoir un enfant, l'année pourrait être faste.

Sans imagination, l'amour n'a aucune chance.

Romain Gary

Si vous êtes *célibataire*, il est possible que vous ne sachiez pas où donner de la tête: vous aurez des coups de cœur tous les jours et pourriez bien vivre un nouvel amour très heureux. Si vous souhaitez vous stabiliser et amorcer une vie à deux, il sera important que vous ne vous illusionniez pas trop à chacune de vos rencontres. Choisissez aussi une personne imaginative et créative, car autrement vous vous ennuierez rapidement. Vous plairez beaucoup et cela peut parfois nuire au choix d'un partenaire qui nous correspond bien: on se laisse étourdir par les autres. Cela dit, même si vous êtes passionné, vous savez en tant que Tigre tenir compte de la réalité et cette facette de votre tempérament devrait vous aider à exercer le bon choix. Si vous êtes célibataire et que vous préférez le rester, rien ne vous y empêchera, mais vous ferez tout de même plusieurs rencontres cette année. Tout sera un jeu pour vous, alors amusez-vous bien.

En couple, vous vivrez du bon temps avec l'être aimé en vous adonnant à des activités communes. De courtes escapades vous rendraient heureux. Il s'agira de pimenter le quotidien, car si la routine est trop présente, vous réagirez fortement ou vous vous ennuierez ferme. En réalité, l'être aimé aura intérêt à vous surprendre ; autrement, vous trouverez le temps long ! Il sera important de passer beaucoup de temps ensemble, ainsi votre amour pourra s'exprimer pleinement. Votre année s'annonce bonne en amour, car vous serez vraiment rempli d'imagination et vous amuserez de tout ; prenez soin de votre relation amoureuse et vous verrez que de multiples bonheurs vous rapprocheront de l'être qui vous fait vibrer. Et si les vibrations ne sont pas toujours égales, vous comprendrez cette année que c'est cela qui donne toute la valeur à votre amour.

Cœur atout !

- Vous serez très aimant et cela vous promet bien des joies.
- Vous serez très aimé cette année et cela vous promet aussi bien des joies !

Vos activités

Si vous aimez l'action, vous serez ravi, car les prochains mois seront certainement riches en rebondissements. Vous aurez beaucoup d'intérêt pour vos activités et apprécierez tous les apprentissages durant les prochains mois. En outre, votre imagination vous permettra de trouver toutes sortes de solutions à certains ennuis quotidiens. Vous aurez en réalité plusieurs solutions pour chaque problème, et si vous travaillez en équipe, on sera bien heureux de vous compter dans le groupe. Vous serez plus précis dans chacune de vos actions qu'au cours des dernières années, et ce souci de précision aura des répercussions positives dans toutes vos activités.

Vous ferez votre nid dans votre milieu de travail ou dans une nouvelle association. Vous vous ancrerez naturellement, sans bousculer personne. Si vous travaillez dans une entreprise, on voudra certainement vous confier de nouvelles responsabilités. Le début de l'année annonce un tourbillon d'activités qui vous fatigueront parfois. Faites part de vos idées nouvelles, elles pourront améliorer le fonctionnement de tout organisme. Si vos activités requièrent de la créativité, inutile de dire que vous excellerez dans vos tâches. Si vos activités sont très répétitives, il faudra certainement que vous apportiez des changements. Ne restez pas dans un milieu qui ne vous correspond pas, cela vous rendrait inutilement malheureux. Vous n'avez aucun talent pour la tristesse !

Les patrons, les collègues et les associations

Si vous êtes patron, vous aurez à cœur de rendre tout le monde heureux autour de vous. Cela dit, une part de vous préférera s'occuper de ses affaires plutôt que de dire aux autres quoi faire. Vous préférerez les gens autonomes. Avec vos patrons, tout se passera bien si on ne vous contraint pas trop. Vous aurez besoin de liberté cette année. À votre compte ? Vous atteindrez vos objectifs avec une relative facilité. Vous aurez tendance à tout prendre pour un jeu, ce qui rendra tout plus simple et amusant.

L'entente sera bonne avec vos collègues : vous saurez leur faire part d'idées toutes plus surprenantes les unes que les autres. Vous aurez aussi le sens de l'amitié. Dans une association, vous serez un électron libre qui s'entend avec tous. N'est-ce pas là une très bonne situation ?

L'argent et les biens

Vous pourriez dépenser pas mal d'argent, mais il est possible également que vous récoltiez plus d'argent que prévu. Quoi qu'il en soit, vous aurez de la difficulté à résister à certaines dépenses, surtout si elles sont liées à vos plaisirs. En réalité, vous serez un amant du bonheur, et vous ne résisterez à rien de ce qui pourra vous procurer un sentiment de joie. Laissez-vous aller, dépensez si vous avez suffisamment d'argent de côté. Il faudra par ailleurs éviter autant que possible le crédit ; cela ne vous procurerait qu'une joie de courte durée. Dans la culture arabe, on dit que payer une dette, c'est tuer un ennemi. De la même façon, on pourrait dire : se faire une dette, c'est s'entourer d'un ennemi. Offrez-vous ce que vous pouvez vous permettre de payer et passez-vous du reste, sauf si c'est absolument nécessaire. Par ailleurs, vous pourriez récolter des gains supplémentaires en accomplissant une petite tâche supplémentaire. Votre imagination sera vive. Pensez-y un peu et vous trouverez. Vous aurez un certain talent pour faire augmenter votre revenu.

Les personnes parmi vous qui sont joueuses pourraient faire des gains, mais encore une fois, ne vous illusionnez pas et ne dépensez pas sans exercer un certain contrôle sur vous-même. Même si cette année vous donnerez la priorité au plaisir, aux jeux, aux joies, il ne faudrait pas dépenser plus que ce que vous pouvez vous permettre. Par ailleurs, vous serez d'une grande générosité cette année.

Une ou deux astuces pour réussir

- Vous serez habile dans toute négociation, votre charme opérera.
- Gardez un certain contrôle sur vos dépenses.

La forme, la santé et les loisirs

Si vous êtes attentif à vivre de manière équilibrée du point de vue de la nutrition et des activités, vous serez bien dans votre peau au cours des prochains mois. Quant à votre forme psychologique, vous serez enclin à voir le bon côté de la vie (le verre à moitié plein). S'il vous arrive de douter de vos capacités, prenez l'habitude de méditer, cela vous permettra de vous calmer et de vous recentrer. Des tensions nerveuses disparaîtront si vous vous nourrissez adéquatement ; il faudra également diminuer ou éviter les excitants comme le café. Si vous n'êtes pas assez actif physiquement, vous pourriez ressentir certaines tensions intérieures. Même s'il y a un effort à faire pour se lancer dans un sport ou un exercice physique, le plaisir qu'on en retire en vaut le prix, ne l'oubliez pas au cours des prochains mois.

Tout loisir vous plaira en cette période, et il ne faudrait surtout pas vous en priver. Ne répétez pas ce que vous avez fait au cours des dernières années si cela vous paraît un peu ennuyeux et répétitif. Vous pourriez suivre différents cours qui vous feront le plus grand bien. Si vous êtes parent de jeunes enfants, vous serez dans la position idéale pour les rendre heureux, car vous aurez un grand sens du jeu. Vous prendrez plaisir à faire des activités avec les tout-petits et les jeunes. Si vous voyagez, vous vous dépayserez facilement et aimerez bien découvrir un horizon qui vous est inconnu. Les animaux de compagnie feront également votre joie.

Pour être en santé, cultivez les plaisirs simples et n'allez pas au bout de vos forces. Si vous évoluez dans un milieu où il y a trop de tensions, vous développerez des malaises persistants. Sachez vous éloigner de ce qui n'est pas convenable.

L'amitié

Du côté des amitiés, votre année sera riche. Vous serez intéressé par ce que vivent tous les gens de votre entourage, en particulier les amis. Avec tous, vous aurez beaucoup de plaisir à parler longuement et les soirées pourraient être agréablement longues ! Si des conflits émergent parfois, les réconciliations se feront rapidement, car vous en parlerez facilement. Ce sera d'ailleurs une excellente année pour de nouvelles rencontres amicales. Des amis, des copains ou même de simples connaissances vous stimuleront ; quand vous aurez le cafard, ils vous feront rire. De votre côté, vous ferez de même. C'est un bon cru en ce qui concerne vos liens amicaux et vous aurez de l'amitié pour tous, y compris pour les membres de votre famille.

La famille

Si vous avez des enfants, jeunes ou adultes, vous serez très heureux dans votre rôle de parent et aurez vraiment du plaisir à les aimer et à les voir grandir. Vous serez très protecteur et prendrez votre rôle à cœur. Vos propres parents ou des aînés pourront aussi se fier à votre sens des responsabilités, à votre générosité et à votre goût de faire plaisir. Avec votre partenaire, vous saurez faire place aux événements familiaux sans pour autant oublier vos besoins personnels et intimes. Une bonne année se dessine en ce qui a trait à vos affections familiales, qu'il s'agisse de votre famille d'origine, de celle que vous avez fondée ou que vous allez fonder. Les rapprochements seront chaleureux là où vous serez.

Ce qu'on aimera de vous cette année

On aimera votre imagination, votre dynamisme, votre enthousiasme, votre passion. Vous vivrez certainement une année durant laquelle vous vous sentirez aimé, et cela vous fera un grand bien intérieur.

Trois défis

- Ce serait une bonne idée de vous affirmer davantage ; nul besoin d'être agressif, dites simplement vos besoins et vos désirs. On vous entendra.
- Il y aura tellement d'activités qui vous seront proposées que vous pourriez vous perdre un peu : essayez de ne pas vous éparpiller.
- C'est une année de jeu, de joie, de plaisir que vous vivrez ; gardez juste assez de discipline pour ne pas vous nuire à vous-même.

L'année selon votre élément

Tigre de Métal

Si vous prenez la décision de rester souple toute l'année, vous vivrez de très bons moments au cours des prochains mois. Cette souplesse, tant physique (oui, oui, des exercices et du sport) que psychologique (vous ouvrirez votre esprit à la nouveauté), sera garante de plusieurs joies au jour le jour. Si vous travaillez à un projet, vous avancerez beaucoup au cours des prochains mois. Des tensions seront possibles avec certaines personnes de votre entourage et il serait bon que vous fassiez attention de les aplanir autant que possible. Vous aurez un talent inespéré pour les négociations cette année et pourriez aussi conclure de bonnes affaires. La vente d'un bien pourrait vous apporter plus que prévu. Dans tous les cas, intéressez-vous à ce qui concerne l'argent, vous êtes doué en la matière. Vous êtes tenté de faire un voyage? N'y résistez pas.

Tigre d'Eau

Vous trouverez peut-être que le temps passe trop vite; si c'est le cas, ce sera parce que vous aimerez tellement la vie que vous voudrez profiter de chaque moment. Vous serez ouvert à la nouveauté et découvrirez de nouvelles façons de voir les choses et de penser. Vous réaliserez des gains si vous poursuivez vos objectifs sans relâche, mais prenez tout de même du temps pour vous reposer et pour vous amuser. Vous vous rapprocherez peut-être de certaines personnes dont vous vous êtes éloigné depuis quelque temps. Voilà une année favorable au renouveau, et certaines personnes parmi vous pourraient faire une rencontre formidable.

Tigre de Bois

Vous vivrez un important tournant cette année, et cela, dans la joie et dans l'harmonie. Plus confiant en vous-même, vous irez aisément vers ce qui vous convient et ce qui vous apporte de la joie. Vous aurez le sentiment d'avoir peu de choses à prouver, ce qui vous reposera l'esprit et le cœur. Les enfants seront une source de joie. Tout ce qui relève de la nature vous ressourcera. Il y a vraiment peu de tensions dans votre ciel des prochains mois, et si quelques-unes se manifestent, vous saurez les faire disparaître ou les régler en un rien de temps.

Tigre de Feu

Vous pourriez changer de statut cette année et devenir parent ou vous stabiliser pour longtemps. Vous aurez des idées nouvelles à propos de tout et saurez pleinement profiter de la vie. Votre imagination vous servira de la meilleure façon. Vous ne ferez rien comme les autres, mais vous ne bousculerez pas les gens pour autant. Vous garderez votre gentillesse naturelle, ce qui ne vous empêchera pas de faire preuve d'une certaine fermeté. Vous prendrez beaucoup d'assurance au cours des prochaines années et pourrez exercer des choix d'avenir qui vous correspondront vraiment. Vous acquerrez une belle liberté intérieure. Restez auprès des gens que vous aimez : rien ne manquera à votre bonheur.

Tigre de Terre

Votre forte stabilité intérieure pourra vous sembler un peu lourde à porter au début de l'année, mais vous sentirez rapidement une grande souplesse intérieure vous envahir. Année favorable pour tout nouveau projet. Vous serez en grande forme et retirerez énormément de plaisir en compagnie d'amis. Vous ne verrez rien petitement et tirerez beaucoup de joie du quotidien. La routine ne vous déplaira même pas ! Vous pourriez faire des gains inattendus, mais vous pourriez aussi vous engager dans des dépenses. Comme vous êtes d'un naturel réaliste, vous saurez contrôler le tout. Surtout, n'hésitez pas à tisser de nouveaux liens, vous y trouverez une source de joie profonde. Une année de multiples rencontres.

Au fil des mois

En *janvier*, vous aurez l'occasion de faire de l'ordre dans vos affaires et de réorganiser votre espace de vie ou de travail. En fait, vous commencez votre année sur une note active, ce qui ne sera pas mauvais du tout à long terme et vous donnera l'occasion d'accorder vos flûtes de la meilleure façon. En famille, vous serez tout à fait à l'aise avec les proches et heureux de partager le quotidien, d'être à la maison. En matière de santé, vous aurez passablement d'énergie en cette période et aurez peut-être avantage à faire des sports d'hiver. Toutes les questions de santé vous intéresseront vivement : ayez soin de vous, vous en bénéficierez. Intérieurement, vous commencez l'année sur une note constructive et positive, rêvez de ce que vous désirez : vous aurez l'occasion de métamorphoser vos rêves en projets... et de les concrétiser. Excellente période pour un engagement, un nouveau contrat, une entente, une réconciliation !

En *février*, vous saurez mieux que quiconque gérer vos biens, améliorer une situation matérielle. Ce sera le moment de voir à vos affaires financières, de faire le tour des aspects pratico-pratiques de votre existence, de questionner des gens qui s'y connaissent. Vous serez habile à tirer le meilleur parti de toute situation ayant des incidences matérielles. Intérieurement, vous aurez peut-être besoin d'une certaine tranquillité ou du soutien des proches. Prenez soin de vous et gardez du temps pour être auprès de ceux que vous aimez et qui vous connaissent bien. Vous pourriez aussi régler des questions concernant votre lieu de vie. Pour certains d'entre vous, des changements se dessinent et le mois sera propice à réorganiser votre espace. Du côté des relations, vous ne serez pas à l'abri de quelques sautes d'humeur durant les prochaines semaines et aurez tendance à vous affirmer avec vigueur. Défendez votre point de vue, mais si les gens vous approuvent, nul besoin de vous battre contre des moulins à vent. Pensez à rester d'humeur constructive dans vos rapports avec tous, tant dans l'intimité qu'en société. En matière d'argent, utilisez votre talent pour réaliser quelques gains. Des idées nouvelles et inattendues vous serviront.

En *mars*, vous aurez l'esprit ouvert et une grande curiosité pour tout nouvel apprentissage. Si vous êtes aux études, si vous avez des champs d'intérêt nouveaux, allez-y à fond, vous excellerez. Vous serez aussi intéressé par tout ce qui vient de loin durant les prochaines semaines. Vous aurez également le goût de l'insolite, de la nouveauté. Côté cœur, vous aurez tendance à embellir la vie en la rêvant plutôt qu'en la vivant. Avec l'être aimé, soyez tout de même attentif aux changements d'humeur. En matière d'argent, vous pourrez dépenser pour le confort à la maison ou pour ce qui touche votre lieu de vie ; si d'autres dépenses vous tentent, privez-vous, vous ne le regretterez pas. Du côté des relations avec les collègues, patrons ou amis, sachez que la gentillesse n'est pas une qualité inutile.

Très bons aspects pour le travail et les questions matérielles durant le mois d'*avril*. Vous serez également sociable et rien ne vous fera davantage plaisir que de voir du monde. Côté travail ou activités d'abord, vous aurez l'occasion de montrer vos capacités, de faire vos preuves, de voir vos qualités reconnues sous peu. Ayez confiance en vous-même, vous avez déjà largement fait vos preuves, et vous saurez susciter des sentiments de respect autour de vous. D'une idée à un projet, il y a une grande distance à couvrir, vous voilà en mesure de concrétiser ce que vous désirez. Vous vous affirmerez assez fermement en cette période. Vous serez aussi capable d'écouter ce que les autres ont à dire et de tenir compte de suggestions judicieuses. Sociable, vous discuterez beaucoup, et ces discussions sauront apporter de l'eau à votre moulin. En matière d'argent, vous aurez une grande marge de manœuvre durant les prochaines semaines et pourriez réaliser des gains inespérés. Vous aurez aussi beaucoup d'intuition et vos rapports avec les autres pourraient s'en trouver quelque peu touchés. En amour, vous serez d'une grande sensualité. Vivez pleinement le printemps, vous serez en forme.

Beaucoup d'amitiés, de conversations, de rencontres agréables au cours du mois de *mai*. Voyez du monde, vous serez en forme. Surtout, ne vous isolez pas, vous vous sentiriez vite sans aucune énergie. C'est un mois pour sortir, pour marcher, pour profiter de la nature. Vous commencerez à penser à certains changements profonds. Durant un certain temps, un fait ne nous dérange pas, puis vient un moment où il devient nécessaire de bouger, vous pourriez vivre une prise de conscience concernant vos désirs. En matière d'argent, soyez vigilant en cette période, car vous ne serez pas à l'abri des illusions. Demandez conseil à un proche avant de vous lancer dans une grosse dépense ou de faire un placement risqué. Vous aurez une forte concentration et beaucoup de détermination, et ces qualités vous serviront tant dans l'intimité que dans vos activités sociales.

En *juin*, vous aurez besoin de tranquillité, de repos, de détente, de cultiver les plaisirs. Les gros efforts : remettez-les à l'automne si c'est possible. Entrez plutôt dans une saison estivale axée sur le plaisir d'abord et avant tout. Pour vous détendre, cultivez les plaisirs culturels : allez au cinéma, écoutez de la musique, assistez à des spectacles, cela vous fera un bien énorme. Intérieurement et côté cœur, vous serez tout de même en bonne forme. Ce qui vous réjouira vraiment ? Vous sentirez à quel point les proches vous aiment. Vos désirs auront tendance à être comblés ! Profitez-en. Cela dit, sachez que votre logique ne sera pas à toute épreuve. Si vous réfléchissez à certaines questions, si vous souhaitez apporter des changements, parlez-en à un proche et laissez-vous convaincre d'attendre quelques mois. Vous ne serez pas tenté de vous confier, alors prenez soin de faire un tout petit effort pour parler avant d'agir là où vous le regretteriez. D'ici quelques semaines, vous pourrez compter sur une grande force intérieure ; en attendant, prenez le temps de vous reposer et de vivre de bons moments d'intimité.

En *juillet*, vous vous libérerez de quelques contraintes, vous vous sentirez bien dans votre peau. Vous saurez faire votre bonheur comme celui de vos proches. Si vous êtes accompagné de quelqu'un qui a un caractère fort, il y aura peut-être quelques heurts, il sera temps de vous imposer... avec douceur et diplomatie. En matière de finances personnelles, vous aurez d'excellentes idées et la capacité de les concrétiser. Vous serez aussi habile dans toute question concernant le couple et la vie amoureuse : vous saurez faire plaisir au moment opportun, et vous effacer quand vous sentirez que ça vaudrait mieux. Vous aurez en fait du tact, de la finesse et du cœur au ventre en cette saison. Vie de famille réjouissante.

Vous serez dans l'état d'esprit idéal pour vivre de bons moments en *août*. Appréciant le confort, vous saurez cultiver un bel art de vivre en cette saison. Les fêtes, les rencontres, les réunions entre amis ou en famille, rien ne vous réjouira davantage que la compagnie. En matière d'argent, vous ne perdrez pas le sens des réalités en cette saison. À votre affaire, vous aurez également de bonnes idées et la capacité de réaliser des économies là où vous n'y aviez pas songé. Côté cœur, vous serez très compréhensif en cette période, prenant le temps d'écouter ce que les gens que vous aimez vivent au quotidien. Vous apprécierez les moments romantiques ; si l'on vous propose une escapade même très courte, profitez-en bien. De simples sorties vous raviront et vous ressourceront. Vous serez en forme et de bonne humeur avec les gens de votre entourage immédiat, que ce soit au travail, à la maison ou même dans votre voisinage. Vous donnerez un coup de main précieux à quelqu'un. Vous pourriez prendre soin également d'une personne plus âgée que vous. Du côté des amitiés, vous aurez une énergie très positive en cette saison et saurez faire plaisir par des gestes qui semblent anodins, mais qui ont leur importance.

Durant les premières semaines du mois de *septembre*, faites de l'ordre dans vos papiers, vous verrez plus clair et saurez prendre une bonne décision. Vous excellerez dans toute tâche qui demande d'avoir le sens des communications. Vous saurez parler aux gens selon leur capacité d'écoute et de compréhension. Si vous écrivez, si vous faites de la photographie, de la peinture ou du dessin, vous saurez communiquer ce que vous sentez profondément. Vous parlerez facilement de ce qu'on ne dit pas... et là où vous serez, tout semblera simple et clair. Période propice pour discuter avec les gens de certaines situations insatisfaisantes. Vous aurez le cœur sur la main , et ce sont surtout les membres de votre famille qui en bénéficieront. Il est possible aussi qu'un proche vive un succès qui vous rendra très fier. Des questions de maison, de lieu de vie retiendront votre attention. Vous saurez où vous êtes à l'aise, vous saurez quels changements effectuer pour être confortablement installé durant la prochaine saison. Vous serez très vif et habile si vous êtes en période d'apprentissage. Moment idéal pour montrer vos multiples talents. Vous surprendrez encore une fois votre entourage par votre vivacité d'esprit.

Vous aurez avantage à vous serrer un peu la ceinture en *octobre*. Si vous économisez maintenant, vous en aurez un peu plus quand les fêtes viendront, ce que vous ne regretterez pas. Vous serez méthodique ce mois-ci, ce qui vous servira dans les prochains mois. Côté famille, si vous avez vécu quelques difficultés, sachez que ce sera bientôt chose du passé et que le simple fait de vous concentrer sur ce qui va bien résoudra bien des problèmes. À la maison, apportez des changements, vous serez vraiment bien. Recevez aussi. Invitez des proches à partager un bon repas. Il y a quelque chose de très convivial dans votre univers des prochaines semaines. Côté cœur, vous serez dans une forme charmante et imaginative. En fait, vous serez même un peu tête en l'air. Vous aurez la possibilité de vivre des rapprochements dans vos relations intimes. C'est un mois propice du côté de vos rapports avec les gens, avec tous vous saurez créer un climat de confiance.

Une intimité chaleureuse vous fera plaisir en *novembre*, vous saurez mettre du baume sur le cœur des gens, prendre soin de ceux qui vous sont chers comme de ceux qui sont un peu plus éloignés. Prenez le temps de vivre de bonnes relations avec tous, expliquez-vous si cela vous semble nécessaire, écoutez si l'on souhaite vous parler de certains problèmes ou vous poser des questions. Au travail ou dans vos activités, votre imagination sera débordante durant les prochaines semaines et vous brillerez par vos mille et une idées. Suggérez même ce qui semble un peu hasardeux, car vous tomberez juste à tous les coups. Innovez, ne vous contentez pas de la routine. Intellectuellement, vous serez à votre affaire et aurez tout de même besoin que l'on se comporte de manière logique avec vous. Si des gens vous troublent ou vous rendent mal à l'aise, écoutez votre intuition et tenez-vous loin d'eux. Pour être en forme, vous aurez avantage à vous prendre en main physiquement en cette saison.

Vous vivrez *décembre* sur une note constructive, mais avec tout de même une propension à vous éparpiller qui sera plus ou moins pratique. En fait, vous aurez, d'une part, assez peu de méthode et, d'autre part, vous voudrez voir clair, faire du ménage et tout rationaliser. Si vous êtes capable de faire cohabiter vos tendances contradictoires, vous vivrez un mois plaisant. Côté santé, vous aurez de l'énergie à dépenser : pourquoi ne pas vous inscrire dans un centre sportif ou plus simplement marcher tous les jours ? Vous aimerez aussi bien manger en cette période, attention à votre tour de taille ! Du côté des relations avec les gens, les rapports seront simples, directs et plaisants. Vous vous entendrez avec les gens en général. En matière d'argent, faites un budget avant de vous lancer dans de folles dépenses, et vous saurez où et combien dépenser pour les cadeaux et les fêtes. Vous terminez l'année sur une note assez rationnelle en fin de compte, ce qui ferait de vous un hôte d'exception. Si vous êtes invité, vous donnerez un coup de main. Bons aspects pour l'entraide. L'année à venir en sera une de services aux autres et de joies quotidiennes.

Le Lièvre

Vous êtes vertueux et prudent.

Toujours là où il faut, quand il le faut et doué d'une grande mémoire, vous êtes d'une efficacité remarquable.

De tempérament chaleureux, rien ne vous réjouit plus qu'une réunion entre proches.

***

Lièvre de Feu : du 2 février 1927 au 22 janvier 1928

Lièvre de Terre : du 19 février 1939 au 7 février 1940

Lièvre de Métal : du 6 février 1951 au 26 janvier 1952

Lièvre d'Eau : du 25 janvier 1963 au 12 février 1964

Lièvre de Bois : du 11 février 1975 au 30 janvier 1976

Lièvre de Feu : du 29 janvier 1987 au 16 février 1988

Lièvre de Terre : du 16 février 1999 au 4 février 2000

Lièvre de Métal : du 3 février 2011 au 22 janvier 2012

La personnalité du Lièvre

Le Lièvre est prudent et réfléchi. Il aime vivre dans un environnement paisible. C'est un raffiné qui apprécie ce qui est rare, ce qui vient de loin, ce qui est beau et bon. Bref, il a bon goût. Par ailleurs, il préserve sa tranquillité. Il n'est pas trop ambitieux et n'apprécie pas les rapports de force. Cela dit, s'il veut atteindre un but, son esprit astucieux compensera son manque apparent d'ambition.

Le Lièvre est un bon confident. Il semble avoir beaucoup d'assurance, mais il se ferme s'il ne se sent pas en confiance. Ayant d'excellentes manières, il est souvent plus sophistiqué que les gens qui l'entourent. Il n'est pas rare qu'il perçoive très bien les non-dits. Il n'aime pas beaucoup la familiarité. Dans ses relations sociales, il est toujours courtois et diplomate, mais il ne se défait pas facilement de son masque. Bien qu'il aime la compagnie, il est également solitaire et il se plaît généralement très bien seul.

Dans ses activités, le Lièvre est intéressé à gagner confortablement sa vie. Si son travail lui apporte cela, ça ira ; autrement, il ne sera pas heureux. Il a d'abord besoin de sécurité. Malgré tout, il a un bon sens des affaires, il sait profiter des occasions et peut dénicher ce qui en vaut la peine grâce à sa lucidité naturelle. Il peut manœuvrer habilement, car il allie la compétence à la douceur. Il aime gagner et peut parfois être mauvais perdant. S'il sent qu'il pourrait perdre, il se retire.

Le Lièvre a un excellent sens de l'adaptation, ce qui lui est très utile, quel que soit le type d'emploi qu'il occupe. Il est studieux et curieux. Ce n'est pas non plus un geignard : il préfère s'adapter ou trouver des solutions plutôt que de s'apitoyer sur son sort. Il évite aussi les situations conflictuelles. Il n'a pas tendance à s'impatienter et il a une bonne concentration, ce qui fait de lui un employé recherché. Il peut recueillir une somme incroyable d'informations et accepte volontiers de prendre ses responsabilités. Mais s'il est dans un bateau qui coule, il le quittera le plus rapidement possible : les crises ne lui conviennent pas, il cherche la paix d'abord.

En matière d'argent, on n'achète pas le Lièvre. Il est prudent, relativement économe, donc il n'est pas tenté de jeter son argent par les fenêtres pour impressionner les gens. Une fois ses besoins satisfaits, il a tendance à ne pas aller plus loin. C'est un collectionneur-né qui sait conclure de bonnes affaires. Comme il aime bien prévoir et calculer, on peut croire qu'il est égoïste, mais il n'en est rien. C'est simplement que son amour du confort en fait un être passablement matérialiste.

Dans ses affections, le Lièvre devine souvent ce que les autres pensent et leurs véritables motivations. En ce sens, on pourrait dire qu'il est fin psychologue. Il ne prend pas facilement parti, il peut écouter, conseiller, mais pas vraiment défendre avec fougue. Il est sociable, tout en étant timide. Il se fait facilement des amis, car il peut faire partie de plusieurs groupes sociaux. Il aime son clan et se sent à l'aise avec ses proches. Pour être au mieux avec un natif du Lièvre, il faut le traiter avec égard. Il est prudent et sage, et il tient à être respecté.

En amour, il est tendre, sensible et romantique. Il sera plus heureux avec un partenaire qui, comme lui, cherche la douceur, le luxe, la volupté et une vie tranquille et protégée. Il peut rompre (toujours poliment) quand il fait la rencontre d'une personne qui lui semble plus intéressante. Il prendra son temps et établira ses distances avec... diplomatie. Madame Lièvre est délicate en tout. Elle adore recevoir et être entourée. Elle a un sens de l'humour très fin. Monsieur Lièvre porte grand soin à sa tenue ; d'ailleurs, il ne manque pas d'admirateurs. Les natifs du Lièvre sont tendres et fidèles, une fois qu'ils sont établis. Ce sont de bons amoureux.

Ses rôles

- L'enfant est un modèle de bonne conduite.
- Le parent est affable. Il protège et inspire ses enfants.
- L'amoureux est affectueux et tendre. Il fixe les règles du jeu.

- L'ami ou le collègue est dévoué et attentif. Il aime bien que les gens qu'il fréquente soient aussi raffinés que lui.
- En affaires, il est modéré, mais il ne se laisse pas berner. C'est un bon associé.
- Le patron délègue ses pouvoirs. Il aime l'harmonie et apprécie les gens prévoyants.
- L'enseignant est structuré et patient. Il enseigne par l'exemple.
- L'ennemi fait l'indifférent; il dissimule son agressivité et patiente le temps qu'il faut!

Ce qu'il représente

Les Chinois attribuent au Lièvre deux grandes qualités: la lucidité et la clairvoyance. Autrefois, les forgerons chinois croyaient qu'en son fiel on trouvait un élément magique qui rendait les épées indestructibles. On associe le Lièvre à la prospérité de la famille.

Les éléments

Le Lièvre de Métal est sensuel, raffiné, astucieux et ambitieux. Il a besoin de liberté et de pouvoir pour s'épanouir. Il aime l'art. L'élément Métal peut lui donner un caractère dur.

Le Lièvre d'Eau est émotif et un peu superficiel. L'élément Eau, en relation avec la sensibilité et les émotions, lui confère une grande réceptivité, de l'imagination et le besoin d'harmonie. C'est un être intuitif.

Le Lièvre de Bois est compréhensif et tolérant. L'élément Bois favorise chez lui l'expansion et l'épanouissement, le bonheur et la générosité. Le natif se caractérise par une vitalité équilibrée.

Le Lièvre de Feu est tendre, chaleureux et influençable (besoin de réconfort). L'élément Feu le pousse à s'extérioriser. Il lui confère chaleur, générosité et joie de vivre, mais il peut aussi le rendre excessif.

Le Lièvre de Terre est constant et sceptique. L'élément Terre renforce son sens de la réalité et son esprit pratique. Le natif est un possessif, attaché aux biens matériels. Il est également prudent, constant, calculateur et rationnel.

Harmonies et conflits

++ Le Lièvre s'entend très bien avec la Chèvre et le Sanglier. Ces trois-là se caractérisent par leur amabilité, leur intuition et leur capacité à collaborer. Avec la Chèvre, la compréhension est réciproque ; c'est d'ailleurs l'une des meilleures combinaisons. Le Lièvre et le Sanglier sont tous deux amoureux des plaisirs.

+ Le Lièvre et le Chien ont beaucoup d'affection l'un pour l'autre. Le Lièvre s'entend également avec le Serpent, à condition que l'un des deux ne dresse pas une barrière imaginaire. Le Lièvre et le Buffle partagent de nombreux points communs ; tandis que le Buffle travaille, le Lièvre le regarde et se repose.

– Le Lièvre ne s'entend généralement pas avec le Coq. Le côté dominateur du Coq hérisse le Lièvre.

Prévisions pour le Lièvre

Tout mouvement, de quelque nature qu'il soit, est créateur.

Edgar Allan Poe

Du 31 janvier 2014 au 18 février 2015

L'année 2014 sera pour vous une période de consolidation de vos acquis. Ce n'est pas le moment de commencer de nouveaux projets, c'est plutôt le temps d'enraciner ce qui existe déjà dans votre vie. Vous aurez par ailleurs à composer avec les gens sur de nouvelles bases, et celles-ci se révéleront solides, car vous saurez vous entourer de personnes fiables et qui vous aiment. Vous pourriez faire des ajustements importants dans le cadre de vos activités extérieures, de votre emploi ou de vos loisirs. Votre approche sera plutôt traditionnelle et vous valoriserez les proches, délaissant un peu le monde extérieur.

Vous saurez exactement ce à quoi vous tenez, et vous ferez des choix qui vous conviennent vraiment. Vous changerez assez profondément, car vous vous éloignerez pour de bon de certains penchants que vous aviez. Ainsi, si vous avez toujours vécu légèrement en ce qui concerne les biens matériels, vous pourriez vous découvrir un talent pour la bonne gestion des biens. Vous deviendrez certainement plus économe. L'année sera également intéressante du point de vue de l'acquisition de biens, en particulier s'il s'agit d'un bien immobilier. Vous aurez une intuition juste et un très bon sens de la réalité. Vous pourrez également aider des gens à voir ce qui est rentable ou non.

Dans vos relations, vous aurez peut-être un peu moins d'amis, mais des meilleurs. La famille prendra beaucoup de place au cours des prochains mois et vous vous y sentirez très à l'aise. Votre intimité sera probablement chaleureuse aussi, car vous la mettrez au centre de vos priorités. Les proches seront vos alliés les plus précieux. Tout ce qui touche l'attachement et l'affection sera primordial à vos yeux.

Vous aurez une approche conformiste, et vous supporterez difficilement les personnes marginales. Si vous êtes entouré de gens créatifs, vous devrez aménager votre espace et votre relation de manière que chacun puisse s'exprimer librement.

Vos amours

Il y a un optimisme teinté d'un fort réalisme dans votre ciel des prochains mois. Tout ce qui touche votre intimité vous tiendra à cœur, et vous aurez le sentiment que cela est le fondement même de votre vie. Avec l'être aimé, vous désirerez vous amuser et passer de longs moments à ne rien faire ensemble. De courts voyages vous feraient un grand bien, à la condition de les organiser précisément. Vous serez une source de stabilité pour l'être aimé, ce qui vous remuera profondément. Vous n'aurez pas tendance à laisser les choses au hasard. Vous avez une bonne nature et une gentillesse naturelle, et cela aura un heureux effet sur vos relations intimes. Votre ciel favorise l'enracinement et les valeurs sûres: vos relations affectives s'en ressentiront positivement. Vous serez à l'aise dans l'intimité et aimerez bien être à la maison en compagnie des proches.

Ne te lasse pas de crier ta joie d'être en vie
et tu n'entendras plus d'autres cris.

Proverbe touareg

Célibataire, vous pourrez certainement faire des rencontres, mais il est possible que vous ne trouviez pas de temps pour l'amour tant la vie avec vos proches vous tiendra occupé. En forme, vous aimerez la vie que vous menez. Vous ne détesterez pas du tout être parfaitement maître de vos mouvements et de vos décisions, et en raison de cela il est tout à fait possible que vous choisissiez de rester célibataire. Si une relation amoureuse naît, vous ferez par ailleurs en sorte qu'elle soit stable et harmonieuse. Vous serez capable d'évaluer si votre énergie est bien dépensée. Si vous comptez rester célibataire, on ne pourra pas vous faire changer d'idée facilement. Vous aurez une volonté inébranlable.

En couple, des questions liées à la maison vous occuperont. Il est question de lieu de vie dans votre ciel des prochains mois. Vous voudrez que votre famille ou votre couple soit bien protégé. Il y a aussi quelque chose de profondément stable qui s'ancre dans la durée. Par ailleurs, ce serait bien que vous poursuiviez un projet personnel. Ne craignez pas l'indépendance, car elle ne nuira pas à votre bonheur amoureux. Pas d'ennuis ou de conflits à l'horizon. Si des problèmes devaient se pointer, restez à l'écoute et les beaux jours reviendront bien vite. Vous apprécierez au plus haut point la stabilité cette année, et tout ce qui ira en ce sens vous réconfortera, vous rassurera et vous rendra simplement heureux.

Cœur atout !

- Votre relation amoureuse sera stable et vous serez le pôle solide de toute union.
- Si vous êtes célibataire, vous ne vous engagerez pas à la légère. Un bon cru pour la naissance d'une union.

Vos activités

Vous vivrez une année dans la continuité de la précédente. Vous aurez une approche lente et ne serez aucunement intéressé par les projets grandioses, à moins que vous n'en ayez mesuré la solidité. Il vous faudra tabler sur des valeurs sûres, ce qui ne vous sera pas difficile. Votre rythme régulier devrait vous permettre d'avancer considérablement dans tout projet.

Vous excellerez dans toute tâche qui concerne les biens immobiliers et les communications avec les gens. Intègre et lent tout à la fois, vous avancerez à pas lents mais sûrs. Vous vous entendrez avec tous, car vous prendrez le temps de les écouter et de les comprendre. Si votre emploi ou vos loisirs sont physiques, vous vous y trouverez à l'aise. Vous aurez aussi du talent dans tout ce qui touche les bâtiments et vous appliquerez dans toutes vos tâches. Si votre travail est intellectuel, vous aurez besoin de vous ressourcer en accomplissant aussi des tâches physiques.

Il y a également dans votre ciel un attachement au passé que vous pourrez dépasser au cours des prochains mois, peut-être abandonnerez-vous certaines activités pour en commencer de nouvelles. Si vous sentez qu'il est temps de rediriger vos efforts, de changer de route, n'agissez pas sur un coup de tête, préparez-vous et procédez lentement. Vous aurez une bonne discipline, ce qui devrait vous aider dans vos activités. Par ailleurs, vous aurez peut-être une légère tendance au pessimisme, ce qui pourrait vous faire croire à l'occasion que vos projets ne se réaliseront pas. Le soutien de proches vous donnera confiance en vous-même.

Vous ne serez pas dépourvu de créativité, mais vous voudrez que celle-ci s'applique à des projets concrets. Ce qui n'est que rêverie vous rebutera. Du côté des rapports avec les gens, vous aurez vraiment le cœur sur la main cette année, et vous saurez rendre des services inestimables. Dans toutes vos activités, vous arriverez à bon port en vous rappelant l'adage italien qui dit : *Chi va piano, va sano, va lontano*, qui va lentement, va sainement et va loin.

Les patrons, les collègues et les associations

Vous vous entendrez bien avec votre entourage au travail ou dans vos activités durant les mois qui viennent, car vous serez capable d'entendre et d'écouter les opinions et les idées des autres ainsi que de faire valoir vos opinions et vos idées. En fait, vous aurez des rapports équilibrés avec tout un chacun, que vous soyez patron ou pas. En tant que patron, vous voudrez que l'on respecte les traditions et aurez un peu de fil à retordre avec des gens marginaux. Vos patrons, quant à eux, trouveront en vous le meilleur des employés.

Ayant un bon esprit de groupe en même temps que du leadership, vous pourriez être invité à collaborer davantage avec certains collègues. Associez-vous aux gens avec qui vous partagez des vues communes, tâchez de vous tenir loin des autres. Cette année-ci ne favorise pas tellement les nouvelles associations.

L'argent et les biens

En matière d'argent, vous aurez un esprit sérieux et logique durant les prochains mois, ce qui vous aidera certainement à économiser davantage. Par ailleurs, vous aurez également un intérêt accru pour tout ce qui concerne le long terme ; vous n'hésiterez pas à investir votre argent, à condition qu'il s'agisse de placements sécuritaires. Vous dépenserez pour vos proches ou pour votre maison. Pas de grands besoins au cours des prochains mois, vous vous satisferez du nécessaire.

Vous pourriez repenser votre manière de gérer. Vous serez le pôle traditionnel, et les gens qui vous entourent seront les pôles imaginatifs. Vous dépenserez peut-être un peu plus d'argent que d'habitude pour vos enfants ou pour votre partenaire de vie. À part cela, pas de dépenses inattendues. Par ailleurs, vous risquez de travailler beaucoup pour des résultats, somme toute, assez moyens. Ce n'est pas grave : un petit montant mis de côté régulièrement finira par grossir ! Ce n'est pas une grande année pour réaliser des gains substantiels, à moins que vous ne gagniez à la loterie. En procédant lentement et en étant attentif à chaque dépense, vous verrez que tout ira bien.

Une ou deux astuces pour réussir

- Investissez un montant dans un plan sûr.
- Achetez un bien immobilier.

La forme, la santé et les loisirs

N'essayez pas d'outrepasser vos forces cette année et gardez du temps pour vous reposer régulièrement. Si vous faites ce choix, vous verrez que vous aurez ce qu'il faut d'énergie pour réaliser vos plans et vos projets. En fait, une pratique sportive pourrait vous aider à retrouver périodiquement votre calme. De plus, chaque matin ou chaque soir, prenez le temps de vous détendre, vous vous sentirez mieux.

Tout ce qui touche la santé pourrait vous intéresser davantage que les années précédentes. Vous pourriez changer votre façon de vous alimenter, consommer plus de fruits et de légumes, par exemple, de manière à mieux vous sentir dans votre peau. Année idéale pour faire des changements physiques ; ils auront une incidence sur votre humeur et sur l'énergie dont vous disposerez.

Côté loisirs, vous préférerez votre quotidien et votre cadre habituel aux voyages et aux lieux qui vous sont étrangers. De courtes escapades vous feront tout de même du bien. Vous apprécierez davantage ce qui vous est habituel ; les surprises : pas pour vous, cette année. Préparez-vous bien pour chaque activité, ainsi vous éviterez l'inhabituel. Si vous passez les vacances à la campagne et que vous prenez le temps de modifier la décoration de votre maison, cela fera votre bonheur.

L'amitié

Vous pourriez cette année vous rapprocher d'amis d'enfance ou de personnes que vous n'avez pas vues depuis longtemps. Vous n'aurez pas de propension particulière à vous faire de nouveaux amis, mais vous apprécierez beaucoup la compagnie des gens que vous connaissez bien. Vos relations seront sereines, vous garderez une certaine distance tout en étant capable d'une écoute attentive. Si vous avez fait de nouvelles connaissances récemment, les liens pourraient se resserrer. Vous serez à l'aise dans l'intimité et assez peu porté vers le social. Privilégiez les gens très proches.

La famille

Vous pourriez vivre une année à marquer d'une pierre blanche en ce qui concerne la famille. En fait, vous éprouverez vos plus grandes joies avec les gens de votre intimité. Vous pourriez vous rapprocher d'un frère ou d'une sœur. Vous penserez beaucoup à votre famille dans tous les cas et serez plus près de certains. Avec les enfants, vous vivrez de bons rapprochements aussi. En réalité, tout ce qui touche les liens familiaux vous tiendra à cœur au cours des prochains mois. Vous serez protecteur.

Ce qu'on aimera de vous cette année

On aimera votre stabilité et votre sens des responsabilités. Vous protégerez ceux que vous aimez.

Trois défis

- Peut-être qu'un grand projet vous stimulerait. Vous pourrez construire cette année. Gardez simplement ce verbe en tête: « construire ».
- Si vous avez une mauvaise habitude dont vous voulez vous délivrer, c'est une bonne année pour agir.
- Même si vous êtes plus à l'aise avec ce qui est prévisible, traditionnel et intime cette année, n'obligez pas les proches à se sentir comme vous.

L'année selon votre élément

Lièvre de Métal

Ce sera une excellente année pour vous, car vous réussirez à mener vos projets comme vous le souhaitez. Vous sentirez que vous avez acquis un pouvoir considérable sur vous-même et une autodiscipline qui vous permettent d'aller là où vous le souhaitez et de créer votre vie comme vous l'aimez. Plus sûr de vous, plus confiant en la vie, vous verrez des portes s'ouvrir et serez heureux de constater que tout se déroule selon vos souhaits. Si vous pouvez aider des gens cette année, vous en serez très heureux et le ferez de bon cœur. Vous penserez intensément à votre avenir et mettrez en place quelques changements pour vivre comme vous le souhaitez. Assez sérieux dans vos projets, vous n'oublierez pas de rire et de vous amuser en compagnie de vos proches, en particulier de l'être cher. Les petits-enfants occuperont vos pensées, peut-être même également certaines de vos journées!

Lièvre d'Eau

Ce sera une année assez sérieuse pour les natifs de votre signe, car vous aurez en tête de faire avancer vos projets. Vous ne prendrez pas les choses à la légère; vous aurez un peu de difficulté avec les gens qui aiment bien perdre leur temps. Vous serez en forme physique, mais vous serez bien obligé de constater que le temps passe et que, pour être bien dans votre peau, c'est une bonne idée de faire du sport.

Si vous améliorez votre façon de vous nourrir, vous aurez beaucoup plus d'énergie que la moyenne des gens. Dans vos relations, vous serez tendre comme du bon pain, et votre entourage sera heureux en votre compagnie.

Lièvre de Bois

Vous vivrez une période harmonieuse et pourrez penser tranquillement aux années à venir. En fait, vous vous préparerez à la prochaine décennie qui devrait être très active. Pour le moment, prenez le temps de réfléchir et mettez en place ce qui vous semble important. Dans vos relations intimes, vous serez à l'écoute des proches, mais vous voudrez aussi qu'on vous entende et que l'on tienne compte de vous. Si vous vous êtes oublié pour les autres ces dernières années, le moment est venu de renouer avec vous-même et avec vos loisirs préférés. Gardez du temps pour vous seul, pour vous reposer et pour vous amuser, c'est ainsi que vous vous ressourcerez. Les enfants vous tiendront peut-être occupé, mais vous y prendrez plaisir. Pour l'amour, vous aurez l'art de cultiver un quotidien agréable.

Lièvre de Feu

Vous continuerez d'être actif cette année, mais vous pourriez vous heurter parfois à des volontés adverses dans un projet. La meilleure solution : soyez à l'écoute des autres et faites valoir votre point de vue en étant délicat. Si vous réussissez à agir avec diplomatie, vous pourrez réaliser vos rêves sans difficulté. Par ailleurs, année idéale pour commencer une relation stable ou pour la poursuivre si vous êtes en couple, ou encore pour les naissances. Le bonheur intime vous sera très précieux et vous vous rendrez compte que vous aimez chaque année avec un peu plus de force. Si vous avez été aux prises avec certaines indécisions et des choix difficiles à faire, vous verrez que les choses changeront au cours de 2014. Vous vous stabiliserez en allant vers ce que vous souhaitez vraiment.

Lièvre de Terre

Vous serez certainement calme cette année et poursuivrez vos objectifs en procédant lentement mais sûrement. Vous aurez la tête froide, et vous raisonnerez bien. Votre jugement sera sûr. On vous fera confiance et vous profiterez d'une bonne ambiance. Prenez le temps de parler avec des gens de votre famille ou des amis avant de prendre certaines décisions, car on pourrait vous faire voir les choses autrement. Vous apprécierez ce qui est stable et resterez tout près des gens que vous aimez. Vous aurez tout de même une forte créativité ; vous pourriez vous intéresser à un sujet qui vous est inconnu. Vous aimerez apprendre.

Au fil des mois

Si vous savez vous réserver du temps libre, du temps pour le repos, du temps pour ne rien faire, vous vivrez un mois de *janvier* des plus intéressants. L'année débute sur une note à la fois imaginative, créative et réaliste. Vous êtes en mesure de faire les choix qui vous conviennent et ne vous laisserez pas mener par des rêveries sans lendemain, ce qui a toutes les chances de vous être bénéfique. Côté communications, les mots vous viendront en tête au moment opportun et vous pourrez facilement et gentiment exprimer ce que vous ressentez et pensez. Côté cœur, vous vivrez des sentiments intenses durant les premières semaines de l'année. Même si tout le monde autour de vous est à mettre de l'ordre dans ses affaires, vous serez pour votre part en effervescence, rempli d'idées au travail et d'amour à la maison. Cela dit, ne vous privez pas de prendre des résolutions un peu difficiles, car vous aurez une volonté de réussir passablement forte pendant un moment. Des questions de santé retiendront votre attention : faites des exercices, nourrissez-vous adéquatement, dormez bien (et tôt), et vous serez en forme.

Il y aura beaucoup d'harmonie dans votre vie en *février* : vous serez ouvert aux autres, tenté de tenir compte de leurs besoins, capable d'une écoute attentive. Vous serez aussi intéressé par le quotidien et travaillerez fort à l'améliorer tant pour vous-même que pour ceux qui vous entourent. Côté cœur, vous pourriez vous rendre compte que vous vivez des sentiments profonds. Du côté des activités, on pourrait vous faire des offres et, de votre côté, vous pourriez négocier efficacement avec des collègues, des patrons ou même dans votre vie intime. Tenez compte de ce que les autres veulent sans oublier ce que vous-même souhaitez, vous verrez qu'il sera possible d'en arriver à une bonne entente. En matière d'argent, compter sera le moyen le plus sûr de savoir où vous en êtes.

Mars s'annonce lucratif en matière de finances. Prenez goût à voir à vos affaires, et vous verrez que ça peut être intéressant, que ce n'est pas forcément monotone. Côté santé, vous aurez beaucoup d'énergie à dépenser ; si vous ne prenez pas la peine de bouger beaucoup, vous trouverez le mois long ou difficile : même s'il ne fait pas tous les jours beau temps, sortez, marchez, restez actif. Autrement, vous aurez l'impression de ne pas avoir fait tout ce que vous aviez à faire en fin de journée. Avec les autres, vous serez en forme et de bonne humeur. La chance est là, mais également vous êtes dans une période stable, ce qui rend tout plus simple autour de vous. S'il vous arrive d'avoir des impressions négatives ou des sautes d'humeur, prenez le temps de considérer le chemin parcouru et vous changerez d'état d'esprit.

Vous aurez le cœur voyageur en *avril* et vous intéresserez à tout ce qui se passe à l'étranger. Vous aurez aussi d'excellents rapports avec des gens ayant une culture différente de la vôtre. Prenez soin de vous intéresser à un nouveau secteur: vous en tirerez de grands plaisirs. Avec les proches, partagez des goûts communs et voyez s'il y a entre vous une entente intellectuelle. Dans les semaines qui viennent, il vous sera en effet essentiel de vivre des échanges constructifs. Même si on ne s'en rend pas toujours compte, le fait de partager des champs d'intérêt communs avec nos proches est très stimulant. Si vous apprenez quelque chose, vous serez en forme; si vous vous contentez de la routine habituelle, vous serez moins bien dans votre peau. Vous aurez un état d'esprit particulièrement ouvert.

Un peu de tension physique est probable au début de *mai*. Prenez soin de votre santé, n'abusez pas des excitants (comme le café), sortez au grand air et fréquentez les gens qui ne vous semblent pas nuisibles. Vous pourriez avoir l'occasion de vivre des changements dans vos occupations ou d'obtenir une promotion sous peu. Vous aurez du pain sur la planche; il faudra cultiver une bonne confiance en vous-même, et oser faire vos preuves. Tout effort bien senti portera des fruits. Vous serez aussi favorisé par les gens qui vous entourent: on voudra votre bien, on vous soutiendra dans un projet nouveau, par exemple. Dans votre vie sociale, vous aurez beaucoup de plaisir à partager avec des gens que vous aimez bien. Vous serez également vif en cette période; que ce soit au travail ou dans vos loisirs, vous comprendrez vite les faits et réagirez en conséquence. Ce mois s'annonce occupé, mais plaisant. Pour ce qui est de l'aspect financier de votre vie, soyez circonspect et attentif, car vous ne serez pas à l'abri des erreurs. Demandez conseil à quelqu'un en qui vous avez une absolue confiance, et fiez-vous également à votre bonne étoile.

Juin sera un mois des plus intéressants du côté de vos amitiés et des relations avec les collègues. Vous serez un guide ce mois-ci, et si vous n'en avez pas le titre, sachez tout de même que vous en aurez les qualités. Vos suggestions seront prises en compte et l'on sera porté à vous écouter. Côté cœur, vous deviendrez un peu secret, ou à tout le moins discret, au cours des prochaines semaines et ne vous épancherez pas facilement. Dans l'intimité, vous pourriez ressentir une certaine timidité à partager des émotions. Toutefois, ne vous en faites pas, il s'agit d'une courte période de réserve. Faites vos comptes durant la première semaine du mois, vous saurez où vous allez. Préparez-vous à partir en vacances bientôt. Vous aurez le vent dans les voiles d'ici peu et du plaisir à connaître de nouveaux lieux.

En *juillet*, vous serez bien près des enfants, des plus jeunes, ou de parents. Plus vous côtoierez les membres de votre famille, mieux vous vous sentirez. Vous saurez qu'ils peuvent vous apporter beaucoup. Intérieurement, vous entamez un mois des plus intéressants : vous serez bien dans votre peau, confiant en vous-même et pourtant sans aucune arrogance. Il faudra simplement adopter un régime de vie équilibré et prendre le temps de vous reposer. Faites tout avec lenteur et vous vivrez une douce saison. Si vous tentez de presser le rythme des choses, vous ne vous sentirez pas au mieux de votre forme. Voici une période prometteuse, à condition de laisser les gens décider de certaines choses, de vous laisser bercer par la vie et de ne pas tenter d'imposer votre volonté. Si vous voyagez, vous serez d'une grande curiosité, vous vous intéresserez à tout ce qui vous entoure. Nourrissez votre curiosité pour la nouveauté.

Vous vous affirmerez au mois d'*août*, ce qui pourrait avoir un effet sur votre entourage. Sans le prévoir, sans même l'imaginer, vous aurez un ascendant sur les autres, une capacité de les comprendre à demimot, mais aussi une capacité d'expression peu commune. Mesurez vos paroles, ne montez pas sur vos grands chevaux et ne dites pas non à la diplomatie. En ce mois d'été, continuez de cultiver la douceur de vivre et accueillez une certaine paresse qui fait du bien à tout le monde, y compris à vous-même. Côté cœur, vous serez peut-être un brin possessif, mais d'une manière qui stimulera l'être aimé. En couple, vous aurez du plaisir à partager des moments de détente ; célibataire, vous aurez le cœur et le panache pour faire une rencontre. Allez de l'avant, ne cultivez aucune timidité, et cela se concrétisera. Il y aura de tendres émotions dans l'air. En matière d'argent, votre situation pourrait aller en fluctuant : un jour vous vous sentirez en plein contrôle de vos finances, le lendemain vous vous inquiéterez pour des riens. Acceptez de ne pas avoir le contrôle sur tout, et tout se passera bien. Côté travail, si vous n'êtes pas en vacances, tout ira dans le sens voulu, mais il faudra fournir des efforts soutenus et vous concentrer sur vos objectifs. Si vous gardez le cap sur ce que vous souhaitez réaliser, vous l'atteindrez. Vous êtes en vacances ? Vous serez le vacancier sociable par excellence ; voyez du monde, prenez le temps de parler à des gens que vous ne côtoyez pas souvent, vous vivrez des joies nombreuses en ce mois.

Vous aurez la tête sur les épaules en *septembre* : vous récolterez les fruits semés, tout en continuant de semer ! Si l'on remet en question certaines de vos idées ou certains de vos choix, vous aurez tôt fait de vous défendre et ferez valoir votre point de vue de la meilleure façon. En matière d'argent, vous agirez de manière à ne pas en manquer : vous vous ferez écureuil, si vous ne l'êtes pas déjà. Du côté des communications, ce sera le meilleur moment pour dire ce que vous ressentez : si vous aimez, faites-le savoir, qui que vous chérissiez. Dans vos occupations, même si vous avez l'esprit pratique, prenez le temps de vous rapprocher de certaines personnes que vous côtoyez régulièrement. Vous pourriez réaliser que vous avez beaucoup de points en commun. Des questions familiales prendront plus d'importance au cours des prochains mois : vous donnerez peut-être plus de temps à vos proches, vous vous sentirez bien auprès des gens de votre intimité, vous apprécierez grandement le fait d'être à la maison... bref, ce qui touche la maison et les proches vous sera très précieux. C'est une période propice pour vous mêler aux autres et pour vivre des objectifs partagés avec les gens.

Vous aurez une concentration à toute épreuve au mois d'*octobre*. Si un projet vous tient à cœur, vous mettrez en route toute tâche, aussi imposante soit-elle, de la meilleure façon. Avec les proches, les conversations, voire parfois les discussions, seront enrichissantes. Vous ne laisserez rien au hasard, vous voudrez tout comprendre et questionnerez jusqu'à ce que vous atteigniez vos objectifs. Côté travail ou activités, vous aurez la bougeotte durant les prochaines semaines, alors il vaudra mieux vous organiser pour sortir. Le train-train quotidien vous mettrait de mauvaise humeur, diversifiez vos tâches de manière à ne pas vous morfondre. Vous aurez une intelligence vive et pourrez apprendre beaucoup en cette période. Côté cœur, vous aimerez bien dire des mots doux, et peut-être encore plus en entendre. Une vie de famille chaleureuse vous rendra d'excellente humeur ; si ce n'est pas votre situation, vous ferez tout de même du *cocooning* avec joie. Durant les derniers mois de l'année, vous accorderez de plus en plus d'importance à vos proches et à la vie à la maison. En privilégiant l'intimité, vous saurez tout de même équilibrer votre temps de manière à connaître des moments de bonheur. Expression de soi favorisée.

En *novembre*, vous devrez peut-être faire face à des disputes ou à des conflits qui émergent. Il arrive qu'on ferme les yeux devant des évidences et que, tout à coup, une simple action éveille des malaises latents. Si c'est le cas, sachez prendre les choses en vous adaptant à ce qui semble de prime abord choquant, vous vous rendrez compte que de bonnes solutions existent. Sachez prendre les choses doucement : vous verrez que tout se mettra en ordre. Il y aura lieu de vous intéresser à l'origine de certains problèmes pour mieux les comprendre et les régler. En famille, vous aurez une énergie très positive, mais des proches pourraient vous en faire voir de toutes les couleurs (surtout si vous avez de jeunes enfants) ou vous pourriez vivre avec eux de fortes émotions. Votre compassion, votre force et votre sens de l'organisation seront utiles en cette période. Vous serez excellent organisateur, et vous relèverez tout défi avec entrain. Des questions de lieu de vie pourraient se régler ; certains d'entre vous pourraient organiser un déménagement ou réaménager leur espace de vie ou de travail. Harmonie dans les relations à la fin du mois.

En *décembre*, vous aurez le cœur à fêter et à vous rapprocher des gens que vous aimez. En famille, vous continuerez d'être à l'écoute, mais vos amitiés et vos amours vous tiendront également occupé. Au travail, si vous exercez un emploi créatif, vous aurez une multitude d'idées originales en tête. Dans votre vie personnelle, tout vous semblera être un jeu, vous vous amuserez à accomplir la moindre petite action. Côté cœur, vous aurez tout de même l'esprit pratique et organiserez tout autour de vous : il n'y aurait rien d'étonnant à ce qu'on vous trouve un peu directif. Pensez à votre santé et à votre forme physique : en surveillant votre alimentation de manière à profiter des plaisirs de la vie sans vous nuire, vous verrez qu'elle compte pour beaucoup dans votre bien-être. Vous réaliserez également que la santé psychique découle souvent d'une bonne santé physique. Faites des sports d'hiver ou marchez dans la nature. L'an qui vient vous promet de multiples joies.

Le Dragon

Vous êtes à la fois déterminé et chanceux.

Fier, plein d'aplomb et doué d'une intelligence vive, vous réussissez tout ce que vous entreprenez.

D'un naturel extraverti, vous attirez l'attention.

***

Dragon de Terre : du 23 janvier 1928 au 9 février 1929

Dragon de Métal : du 8 février 1940 au 26 janvier 1941

Dragon d'Eau : du 27 janvier 1952 au 13 février 1953

Dragon de Bois : du 13 février 1964 au 1er février 1965

Dragon de Feu : du 31 janvier 1976 au 17 février 1977

Dragon de Terre : du 17 février 1988 au 5 février 1989

Dragon de Métal : du 5 février 2000 au 23 janvier 2001

Dragon d'Eau : du 23 janvier 2012 au 9 février 2013

龍

La personnalité du Dragon

Le Dragon ne passe jamais inaperçu ; il a de l'allure, du charme, du magnétisme. Il sait tirer parti des occasions. Réceptif aux gens, aux courants de pensée, aux nouvelles idées, il est souvent un précurseur. Il étonne, il prévoit et il sait tenir compte du passé pour bâtir le futur. C'est un être qui est toujours en évolution. Il est à l'aise dans les situations spectaculaires et il aime attirer l'attention.

Le Dragon est un grand actif, mais il agit souvent par incapacité de s'arrêter. Sous des dehors confiants, il masque une certaine insécurité. Il peut se lancer dans une bataille et se décourager au beau milieu ; en fait, c'est un être tout feu tout flamme. Ni introverti, ni porté à beaucoup réfléchir, ni prévoyant, c'est un être d'élan. Il a également tendance à rechercher l'approbation et, surtout, l'admiration des autres. Il réussit pourtant presque tout ce qu'il entreprend. Là où tout le monde a échoué, lui saura surmonter un obstacle. Est-ce la chance ou sa nature enflammée ? Nul ne le sait. On dit aussi qu'il est chanceux, de même qu'il porte chance aux gens qui l'entourent.

Le Dragon aime le travail et raffole de la compétition. Il parvient souvent au sommet de sa profession. Il aime bien aller à contre-courant des opinions répandues. En raison de son indomptable optimisme, il lui arrive pourtant de ne pas évaluer correctement les situations dans lesquelles il se trouve. Il est l'utopiste du zodiaque chinois. Il veut tout faire lui-même et ne délègue pas facilement. S'il a une cause à défendre, il le fait de main de maître. Si son travail l'amène à voyager, il s'en trouvera plus heureux. Il a également des dons de chef. Mais s'il accepte de trop grandes responsabilités, il peut se sentir dépassé. C'est un idéaliste aux nobles aspirations. S'il lui arrive de se plaindre de son fardeau, ne soyez pas dupe: il adore travailler et relever des défis. Sa bienveillance fait en sorte qu'il se soucie grandement des autres. Il est extraverti et n'a rien contre la démesure. Il a toujours la tête pleine de projets... pas forcément réalisables! Et vous pouvez être assuré qu'il ne restera pas dans l'ombre. L'argent n'est pas son intérêt principal, car il n'est pas matérialiste. Ses ressources lui permettent simplement de réaliser ses ambitions. Il est honnête à en devenir scrupuleux. En raison de son côté humanitaire, il excelle dans les collectes de fonds. C'est aussi un excellent défenseur.

Dans ses affections, il a tendance à pousser son entourage à agir selon ses désirs. Il lui arrive aussi d'être trop exigeant et de ne pas écouter suffisamment les conseils de ses proches. En fait, il ne voit pas toujours la réalité en face. Il aime beaucoup être admiré et approuvé par les gens qui l'entourent. La solitude n'est pas son fort, il s'y sent mal à l'aise, car il a besoin de briller pour être pleinement lui-même. On l'aime ou on le déteste, il est très difficile d'être tiède à l'égard d'un Dragon. Que l'on soit son ami, son amour ou un proche, il faut savoir l'intéresser. Sa famille compte plus que tout.

En amour, l'ordinaire ne l'attire pas. Il est stimulé par ce qui est exotique et étrange. Par-dessus tout, il aime l'intensité et peut vivre de grandes passions. Pourtant, même s'il lui arrive d'aimer à la folie, il a besoin d'estimer l'être aimé. Il adore qu'on le flatte et qu'on lui fasse des compliments. Il n'est fidèle qu'à ceux qu'il admire. Cela dit, une fois que vous le séduisez et l'intéressez, il sera très loyal. C'est un allié précieux, surtout dans les temps difficiles, car il adore aider et même faire des miracles! Tomber amoureux d'un Dragon est, dit-on, un mal des plus communs: tous les jours, on tombe pour eux! Madame Dragon a l'air plus sage qu'elle ne l'est. C'est une femme sophistiquée, chaleureuse et prudente. Elle est une grande sentimentale. Monsieur Dragon aime la résistance, donnez-lui donc du fil à retordre sans prendre de trop grands risques. Sachez aussi qu'il est facile de faire perdre la tête à un Dragon, mais difficile de le captiver longtemps.

Ses rôles

- L'enfant demande de l'attention, qu'on lui fasse confiance et qu'on lui confie des tâches importantes.
- Le parent est un chef naturel. Il défend sa famille et a l'esprit de clan.

- L'amoureux est passionné et généreux.
- L'enseignant est un modèle inspirant. Il est également bienveillant.
- En affaires, le Dragon doit s'associer à des gens sérieux et qui savent l'orienter. Il doit aussi briller, ce qui ne facilite pas toujours les choses.
- Le patron est un dirigeant-né qui peut parfois exercer son autorité avec force.
- L'ami ou le collègue est loyal, mais il doit s'associer à des gens qui peuvent s'affirmer.
- L'ennemi attaque et oublie parfois de voir s'il pourra se défendre.

Ce qu'il représente

Selon les Chinois, le Dragon aurait créé le monde. Il est bénéfique et il protège les hommes contre les démons destructeurs. Les Chinois considèrent qu'un Dragon qui vous aime est une protection suprême. Il est le symbole d'un pouvoir harmonieux. Il viendrait au monde avec la richesse, la vertu, l'harmonie et la longévité.

Les éléments

Le Dragon de Métal est intègre, sévère et impartial. L'élément Métal peut révéler chez le Dragon un fort penchant à l'excès. Le natif a un caractère entier et un charme intense. Il ne revient pas en arrière. C'est un véritable fonceur.

Le Dragon d'Eau est perspicace et lucide. L'élément Eau, en relation avec la sensibilité et les émotions, lui confère une grande souplesse. Ce natif sait attendre ; c'est un excellent négociateur et un propagandiste hors pair.

Le Dragon de Bois est curieux, imaginatif et sûr de lui. L'élément Bois favorise chez lui l'expansion et l'épanouissement, le bonheur et la générosité. Le natif se caractérise par sa créativité et son sens de la coopération.

Le Dragon de Feu est impatient, droit et ambitieux. L'élément Feu le pousse à s'extérioriser. Il lui confère chaleur, générosité et joie de vivre. Voilà un natif qui secoue les consciences !

Le Dragon de Terre est logique, rationnel et dominant. L'élément Terre renforce son sens de la réalité et son esprit pratique. Le natif parvient toujours au succès.

Harmonies et conflits

++ Le Dragon est un signe d'action au même titre que le Rat et le Singe, avec lesquels il s'entend très bien d'ailleurs. Tous trois visent le progrès, le succès et la performance. Ils innovent. Ce sont des impatients. Ils doivent agir pour être heureux et se comprennent à demi-mot. Le Dragon et le Singe ont un lien à l'épreuve de tout. Le Dragon et le Rat collaborent efficacement et durablement.

\+ Le Dragon s'entend également très bien avec le Serpent. Cette paire connaîtrait la célébrité, ce qui les rendrait heureux. Avec le Coq, la relation est profonde même si elle est parfois excentrique.

– Le Dragon peut souffrir de la méfiance naturelle du Chien, qui ne se laissera pas charmer comme tous les autres.

龍

Prévisions pour le Dragon

Quand j'avais cinq ans, ma mère me disait tout le temps que le bonheur était la clé de la vie. À l'école, quand on m'a demandé ce que je voulais faire plus tard, j'ai écrit «heureux». Ils m'ont dit que je n'avais pas compris la question, je leur ai dit qu'ils n'avaient pas compris la vie.

John Lennon

Du 31 janvier 2014 au 18 février 2015

Heureux, c'est certainement ce que vous voudrez être cette année et vous avez toutes les chances d'y arriver si vous gardez les pieds sur terre et voyez à quel point le quotidien est une source de joie. Dans l'intimité et dans vos activités, vous rencontrerez plusieurs nouvelles personnes et, surtout, vous vous intéresserez davantage à ce qu'elles sont et à ce qu'elles font. Vous apprécierez tant les proches que les gens que vous connaissez peu. Certains d'entre vous feront connaissance avec un nouveau voisinage.

Vous apprendrez encore un peu plus comment agir avec vos proches de manière que chacun y trouve son bonheur, et comment cohabiter, ou « co-vivre », avec les gens de votre entourage. Année idéale pour une association nouvelle ou pour faire partie d'une équipe de travail. Vous réaliserez que lorsqu'on prend le temps de bien communiquer avec les gens et de les écouter attentivement, tout est plus facile. Soyez clair à propos de vos valeurs et de vos choix de vie, vous comprendrez mieux ce que désirent ceux que vous côtoyez.

Excellente période pour vous engager sentimentalement, pour signer des contrats, pour établir diverses ententes. Ce sera également une année propice pour remettre les pendules à l'heure si vos principes de vie ne sont pas respectés par un proche. Vous aurez la responsabilité d'évaluer vos relations et de voir si elles peuvent s'inscrire dans la durée. Vous serez heureux si vous avez une vie sociale active. Invitez des gens à la maison et acceptez les invitations, car cela contribuera grandement à votre bonne humeur. Vous verrez que ceux qui vous aiment sont prêts à beaucoup pour votre bonheur, et de votre côté vous réaliserez que vous êtes capable de don de soi. Voici une année où les relations seront au centre de votre vie.

Il est question également de courts voyages et de nombreux déplacements. Vous aurez un peu de difficulté si vous êtes cantonné au même endroit et si vous n'avez pas suffisamment de marge de manœuvre dans vos activités. Tâchez de conserver un maximum de liberté, autrement votre côté soupe au lait cherchera à s'exprimer ! Les apprentissages sont favorisés : ne craignez pas d'apprendre du nouveau même si vous n'êtes plus normalement en âge de le faire. Plus on apprend, mieux on se porte. Vous le saurez au tournant de l'année prochaine. En plus, cela pourrait vous valoir un avancement.

Vos amours

Côté cœur, vos amours se vivront sur un mode à la fois joyeux et calme durant toute l'année. Vous serez dans un état d'esprit ouvert pour l'amour et aurez le cœur sur la main. Cela dit, si vous êtes tenté de faire trop de compromis pour l'être aimé, si vous vous oubliez pour satisfaire votre partenaire, vous en prendrez conscience et réaliserez que cela ne peut pas mener au bonheur. Par ailleurs, si vous vous tenez dans votre bulle sans réellement tenir compte de l'être aimé, il pourrait y avoir des ajustements à apporter et des discussions un peu houleuses. Tâchez donc d'agir de manière équilibrée, vous en êtes tout à fait capable. Si vous sentez que votre relation sentimentale arrive à un point où elle devrait prendre une nouvelle direction, plutôt que de demander à l'être aimé de changer, il vaudra mieux changer vous-même !

Aimer, c'est n'avoir plus droit au soleil des autres.
On a le sien.

Marcel Jouhandeau

Si vous êtes *célibataire,* excellente année pour vous rapprocher d'une personne que vous aimez bien ou pour faire une rencontre significative. Vous aurez le désir de vivre une intimité tranquille et agréable. Une amitié pourrait se transformer en amour ; un voisin ou une voisine pourrait plaire énormément. Ce qui vous semblait impossible jusqu'à aujourd'hui vous apparaîtra dans toute sa simplicité. Une attitude ouverte et votre bonne humeur faciliteront les rencontres et les rapprochements. Si vous préférez rester célibataire, rien ne vous empêchera de faire des rencontres plutôt amicales, et elles auront un petit côté charmant. Vous serez de toute façon bien dans votre peau et ne chercherez pas à vivre à tout prix ce qui ne vous convient pas. En réalité, vous serez facilement de bonne humeur et la vie devrait vous rendre heureux.

Si vous êtes *en couple,* vous pourrez renouveler vos vœux en faisant un court voyage. Si cela ne vous est pas possible, privilégiez tout de même les week-ends à deux. Voilà une bonne année pour vous rapprocher de la personne aimée et pour prendre plus de temps avec elle. Privilégiez la vie à deux : vous y trouverez plus de réconfort et de tendresse que jamais. Vous aurez un bon esprit de collaboration, ce qui est positif pour le couple. Peu de grandes vagues à l'horizon, vous vous installerez dans la continuité et dans la stabilité, à moins vraiment de réaliser que vous n'avez pas les mêmes perspectives que votre partenaire. Une énergie positive et la bonne humeur seront vos guides tout au long de l'année.

Cœur atout !

- Vous aurez un bon esprit de clan et tiendrez compte de la volonté de la personne aimée.
- Vous agirez de façon intègre, ce qui ne pourra que vous mener sur le bon chemin.

Vos activités

Vous aurez une approche concrète et saurez vous entendre avec tous de manière constructive au cours des prochains mois. Si vous devez collaborer avec des gens que vous appréciez normalement peu, ce ne sera pas difficile pour vous, car vous serez le philosophe du zodiaque, celle ou celui qui accepte les gens tels qu'ils sont. Bref, tout devrait bien se passer dans vos rapports et vos échanges avec les autres, ce qui est déjà un gage de plaisir et de réussite quand il est question de travail ou d'activités.

Si vous souhaitez terminer un projet, il sera important de ne pas vous éparpiller et de vous en tenir à un horaire précis. Vous serez intéressé par plusieurs sujets et pourriez en conséquence manquer quelque peu de concentration. Par ailleurs, comme vous aimerez bien apprendre (c'est dans votre nature et vous vivez un cycle qui favorise les apprentissages), vous pourriez vous lancer dans une nouvelle activité qui vous ouvrira des horizons nouveaux. Si vous êtes aux études, vous serez ravi de votre situation : les résultats devraient être à la hauteur de vos aspirations.

Cette année, vous repérerez aisément les gens qui vous ressemblent. N'hésitez pas à vous associer à certaines personnes avec qui vous avez des points en commun. C'est une période propice aux associations. De plus, les contrats sont favorisés, et si vous devez négocier pour vous-même ou pour d'autres, vous réussirez. Vous serez capable d'un intense effort mental, ce qui devrait favoriser toutes vos activités.

Les patrons, les collègues et les associations

Il y a peu de difficulté dans votre ciel des prochains mois, que vous soyez patron ou employé. Dans tous les cas, vous saurez vous satisfaire du réel et n'aurez pas du tout tendance à demander l'impossible à la vie. Quelle que soit votre situation, vous mettrez les gens en lien les uns avec les autres. Si vous devez vous trouver quotidiennement dans les parages d'une personne au caractère difficile, vous saurez vous en éloigner, vous ne tolérerez pas que qui que ce soit nuise à votre équilibre intérieur.

Avec les collègues, les relations seront harmonieuses. Année idéale pour vous rapprocher de certaines personnes avec qui vous partagez les mêmes champs d'intérêt. De même, les associations sont hautement favorisées.

L'argent et les biens

Vous aurez un bon sens des affaires et de vos intérêts durant les mois à venir. Vous vous intéresserez d'un peu plus près à des questions de gains, et si vous souhaitez mieux vous établir, vous serez en mesure de réaliser vos objectifs. Votre situation est propice à des changements positifs si c'est ce que vous souhaitez. Souvenez-vous toutefois qu'il faut prendre le temps d'y voir lorsqu'on souhaite améliorer sa situation. Il ne s'agit pas de simplement le souhaiter, il faut agir.

Vous pourrez récolter certains bénéfices et la vie matérielle ne devrait pas être préoccupante. Vous pourrez économiser sur des petites choses et vous rendre compte que cela améliore sensiblement votre situation. Actif de nature, vous aurez plusieurs idées sur la façon de faire fructifier votre argent. Et elles seront certainement efficaces.

Vous savez généralement garder les pieds sur terre quand il est question de biens matériels, mais certains d'entre vous sont très dépensiers. Si c'est votre cas, le moment est venu d'y voir. Rien ne vous empêche de vous informer auprès de quelqu'un qui s'y connaît. Même un proche pourrait vous aider à faire un budget.

Une ou deux astuces pour réussir

- Privilégiez les achats locaux. Pour vous et pour la santé de la planète.
- Vous prendrez le temps d'offrir de petits cadeaux à vos proches cette année, ce qui sera apprécié.

La forme, la santé et les loisirs

Vous serez plus à l'aise et de bonne humeur en compagnie que seul au cours des prochains mois. Privilégiez les activités à deux ou en équipe, car vous aurez de bonnes capacités de collaboration. Par ailleurs, pour que vous soyez en forme, il faudra veiller à vous détendre régulièrement; vous aurez tendance à être nerveux et cela pourrait avoir des répercussions sur votre bien-être. Faites également des loisirs que vous aimez ; ne soyez pas économe de plaisir, même si vous êtes très occupé ! Vous pourriez suivre un cours pour le simple plaisir d'apprendre à dessiner par exemple, ou apprendre à jouer d'un instrument de musique, ou encore apprendre une nouvelle langue... Bref, ne pensez pas que cela n'est pas pour vous, car ce sont ces petites joies qui vous rendront de bonne humeur.

Réservez également une place aux escapades, partez un jour ou deux hors de votre quotidien et cela suffira à vous ressourcer. Un bain de nature, et vous verrez la vie sous son plus bel angle.

L'amitié

Toutes vos relations porteront l'empreinte de votre attention bienveillante. Vous vous intéresserez aux autres en prenant le temps de les écouter vraiment. Vous serez généreux de votre temps, ce qui favorisera certaines relations. Vous vivrez en bonne amitié avec vos proches, et des liens familiaux prendront une couleur amicale. Année merveilleuse pour vos amitiés : vous serez porté par une grande gentillesse doublée d'une capacité de détachement. Vous ne direz pas aux autres quoi faire, et ils l'apprécieront. Si vous êtes célibataire, un voyage entre amis pourrait être une source de joie.

La famille

En famille, vous aurez du plaisir à discuter de toutes sortes de sujets. Vous serez curieux et vous intéresserez vraiment à ce que les autres vivent. Vous parlerez beaucoup, mais vous écouterez avec toute votre attention, ce qui fera plaisir. Vous continuerez d'avoir un bon esprit de famille et pourriez vivre des rapprochements. Vous saurez écouter vos enfants et leur apprendre beaucoup de choses ; votre capacité à vous mettre à leur diapason favorisera un lien sincère.

Ce qu'on aimera de vous cette année

On aimera votre attention et votre délicatesse du cœur. On aimera aussi vos idées claires, votre capacité d'expliquer les faits et votre gentillesse.

Trois défis

- Repérez les gens qui n'ont rien à faire dans votre vie, et agissez de façon diplomatique mais ferme.
- Expliquez-vous : vous serez mieux compris.
- Essayez de ne pas être trop orgueilleux, ce n'est pas un défaut agréable.

L'année selon votre élément

Dragon de Métal

Vous serez rationnel cette année et le meilleur guide pour qui éprouve des difficultés. Rassurez-vous, vous ne vous transformerez pas en mère Teresa. Tout de même, vous aurez le cœur sur la main et donnerez à vos petits-enfants (peut-être) un conseil ou deux, une information ou deux. En ce qui concerne vos activités, vous pourriez ralentir la cadence, mais peut-être pas non plus. Vous aurez plein de projets en tête et tout vous intéressera. Si vous avez la possibilité d'apprendre quelque chose tous les jours, vous le ferez. Les courts voyages se révéleront riches en rebondissements. Vous aimez beaucoup bouger, et cela se concrétisera au cours des prochains mois. Une seule chose pourrait éveiller votre méfiance ou votre colère : qu'on essaie de vous brimer, qu'on vous enlève une seule once de liberté.

Dragon d'Eau

Vous ralentirez peut-être un peu votre rythme cette année et prendrez plus de temps pour vous seul, ce qui vous fera du bien. Même si vous êtes de nature très active, il n'est pas mauvais de prendre son temps pour accomplir les choses. Vous réaliserez que vous en faites tout autant en vous pressant moins ; peut-être est-ce grâce à votre expérience. Toujours est-il que vous aurez la cote et qu'on vous complimentera certainement sur votre façon de faire. Dans votre vie personnelle, vous serez aux petits soins pour vos proches. Vous aimerez l'intimité et ne serez pas porté à sortir beaucoup. De courts voyages vous plairont. Vous serez tendre avec l'être cher et connaîtrez de purs moments de bonheur.

Dragon de Bois

Vous serez bien dans votre peau cette année et vous réjouirez de ce qui vous arrive. Vous voilà à un cap important de la vie. Il ne tiendra qu'à vous de le prendre du bon côté et de l'envisager avec bonne humeur. Fixez-vous quelques règles de vie, pensez à un projet ou deux que vous voudriez réaliser et, grâce à votre capacité de travail, vous y arriverez. Beaucoup d'action autour de vous durant les prochains mois : vous pourriez parfois vous sentir agité. Si c'est le cas, prenez simplement le temps de vous détendre, et vous serez bien dans votre peau. On se plaira en votre compagnie, et vous serez heureux et fier de le constater.

Dragon de Feu

Vous aurez le vent dans les voiles cette année ; si vous souhaitez faire des changements dans votre vie, vous agirez en conséquence et réussirez de la meilleure façon. En matière de finances personnelles, vous pourrez réaliser des gains grâce à votre capacité de négocier. La famille continuera d'être au centre de vos préoccupations ; vous veillerez sur ceux que vous aimez. Vous vous sentirez plus libre que l'an dernier et comprendrez clairement que certaines années servent à semer, tandis que d'autres nous permettent de récolter. Si vous souhaitez changer de demeure, évitez les coups de tête et prenez plutôt le temps de voir ce qui serait le plus rentable. Vous pratiquerez un bel art de vivre, et vous prendrez le temps de vous amuser en famille ou en couple. D'agréables moments vous sont promis, vous pourrez obtenir ce que vous désirez.

Dragon de Terre

Vous vous sentirez plus stable cette année que l'an dernier, ce qui vous fera du bien. Vous aurez du plaisir avec les copains, avec les gens de votre entourage et vous vous amuserez d'un rien. Pour garder la santé, faites du sport ou des exercices ; impérativement, il faudra bouger davantage pour que vous soyez en forme. Vous pourriez faire une heureuse rencontre, il ne tiendra qu'à vous de vivre un rapprochement avec quelqu'un qui vous ressemble. Pour ce qui est de vos activités, vous vous plongerez dans un projet qui vous tiendra occupé. Une année durant laquelle vous ne vous ennuierez pas.

Au fil des mois

En *janvier*, profitez-en pour planifier vos activités des prochains mois et écoutez les autres plutôt que d'essayer de faire valoir vos idées et suggestions. Vous vivrez l'amour sereinement en cette période, et s'il vous semble parfois que les choses ne vont pas comme vous le souhaitez profondément, restez calme et concentrez-vous sur ce que vous désirez vivre et accomplir à long terme. En cette saison, faites des sports d'hiver, des exercices physiques, ou suivez même un petit régime alimentaire, bref, cultivez la forme ! Vous serez peut-être appelé à vous déplacer beaucoup et à être en contact avec plusieurs personnes que vous connaissez relativement peu. Tout ce qui vous rapproche des gens vous rendra de bonne humeur. Parent ? Vous vivrez d'agréables moments avec vos enfants. Et si un des vôtres éprouve quelques problèmes, vous saurez le conseiller judicieusement. Votre sens pratique sera vraiment très bon jusqu'à la fin du mois de février, mais ne vous fâchez pas trop vite si les autres ont du mal à vous suivre et à vous comprendre. Parfois, ce qui semble être n'est pas ce qui est.

Vous pourriez vivre un rapprochement familial en ce mois de *février*. Un frère, une sœur, un parent ou un enfant apprécieront votre présence, de même que vous aurez du plaisir à confier vos multiples pensées et à entendre les confidences. Vous aurez la touche pour rendre vos espaces de vie accueillants ; vous souhaiterez peut-être déménager, auquel cas il sera temps d'y voir. Au travail, dans vos activités et même dans vos amours, laissez votre imagination et votre intuition vous guider. Vous serez dans une forme resplendissante en ce premier mois de votre année. Vous réaliserez quelques-uns de vos rêves. Votre vie sentimentale sera animée. Allez de l'avant en tout, dites adieu à toute forme de timidité.

En *mars*, au travail ou dans vos activités, vous serez habile et curieux, et vous vous inspirerez de l'expérience des autres. Si vous êtes célibataire et sans attache, vous pourriez faire une rencontre inoubliable durant les prochains mois, mais il vaudrait mieux qu'il s'agisse d'une personne qui vient d'ailleurs ou qui a vécu ailleurs. Côté humeur, vous serez détendu, calme et même peut-être sage en ce printemps. Si vous êtes de la ville, vous vous découvrirez un amour pour la campagne ; si vous êtes de la campagne, prenez donc le temps de venir en ville. Dépaysez-vous de toutes les façons, et vous serez bien dans votre peau. En matière d'argent, il faudra tout de même regarder vos comptes et prévoir des dépenses.

En amour, vous pourriez vivre des difficultés de communication au début du mois d'*avril*, mais tout rentrera dans l'ordre assez rapidement. N'évacuez pas les problèmes en les cachant sous le tapis, mais ne les ressassez pas sans cesse non plus. Si votre partenaire souhaite une chose et vous une autre, prenez le temps d'en parler tranquillement au lieu de vous en faire. Côté travail, vous pourriez être très occupé en cette période et obligé de supporter des demandes un peu trop pressantes. Il est possible également que vous soyez enthousiasmé par un projet. Quoi qu'il en soit, essayez de faire l'équilibre entre la routine et la nouveauté ; vous aurez besoin des deux, ce qui n'est pas toujours facile à démêler. Diversifiez vos activités de manière à garder du temps pour le repos, l'intimité, le travail et les rencontres. Une période très active.

En *mai*, vous serez invité à relever de nouveaux défis ; on prendra vos idées en compte, on vous offrira un nouveau poste... de quelque manière que ce soit, il y aura du nouveau. Par ailleurs, vous serez énergique et en bonne forme physique, mais prenez le temps de vous détendre et de marcher dans la nature régulièrement. Côté cœur, vous serez sentimental en cette période ; si vous n'êtes pas amoureux, vous ressentirez peut-être un peu plus vivement la solitude. Vous plaisez, voyez-le tout de même et ne continuez pas de rêver à une personne absente, à moins de souhaiter réellement son retour et de savoir que cela est possible. Vous serez tout de même porté à voir la réalité comme elle est ce mois-ci et pourrez donc agir en conséquence. En matière de finances, votre situation devrait être bonne à la fin du mois. Vous aurez de toute façon envie de bien faire les choses. Vous aurez une attitude positive.

Juin sera faste en matière d'argent. Des gains supplémentaires seront suivis de dépenses inattendues ; si vous êtes stable en ce domaine, vous devrez peut-être planifier une importante dépense à venir. Dès le début du mois, vous aurez une forte envie de voyager et de connaître de nouveaux horizons. S'il vous faut patienter quelques semaines avant de partir en vacances, vous risquez d'être passablement rêveur en cette période. Côté cœur, vous serez intense et passionné, voire peut-être sous le joug de la jalousie. Ne vous prenez pas trop au sérieux si vous vous sentez d'humeur à dramatiser, et sachez que ça passera. Avec votre partenaire, une conversation pourrait être éclairante. Vous serez intuitif et sensible à tout. Votre façon de voir les choses aidera les proches à mieux se comprendre.

En *juillet*, vous éprouverez une grande joie si vous êtes entouré en cette période estivale. En famille, vous aurez le goût du clan, vous penserez à chacun, vous organiserez tout, ou plus simplement vous vous laisserez guider. En amitié, ce sera la même chose. Recherchez l'animation, éloignez-vous de ce qui est trop tranquille. Il faudra voir du monde, et même beaucoup de monde, pour être en forme. Sortez autant que vous le pourrez, vous vous reposerez ou en août ou à l'automne. Les sports d'équipe vous tenteront. Côté cœur, vous serez en forme et chaleureux, mais vous aurez peut-être un peu moins de plaisir que d'habitude dans l'intimité. Si votre partenaire vit un moment qu'il ou elle préférerait calme, serein et tendrement intime, il pourrait y avoir quelques tensions qui se résorberont bien vite. Au travail, vous serez actif et efficace.

Vous resterez sociable en ce mois d'*août*, comme vous l'êtes généralement, mais vous aurez tout de même besoin de grands moments de calme, de paix, de tranquillité pour vous ressourcer. Vous vous sentirez d'humeur plus secrète que dans les dernières semaines, et vous pourriez avoir de la difficulté à parler de ce que vous vivez. Dans les faits, vous réaliserez à quelques reprises que les gens vous parlent beaucoup d'eux, mais qu'ils s'informent très peu de vous. Vous conseillerez des proches, mais il est peu probable qu'on vous épaule ou qu'on vous conseille pour le moment. Vous serez par ailleurs très imaginatif, ce qui aura des conséquences heureuses tant sur vos amours qu'au travail ou dans vos activités. Vous serez heureux de pouvoir donner un coup de main à quelqu'un en cette période. En vacances ? L'équilibre sera bon entre activités et repos. En matière de finances personnelles, vous penserez aux coûts de la rentrée un peu avant les autres.

En *septembre*, pendant que tous s'affaireront, vous aurez plutôt le cœur à prendre la vie doucement et à vous laisser guider par les événements plutôt qu'à les provoquer. Cultivez le calme et la paix intérieure en cette période. Prenez le temps de faire les choses une à une, compartimentez vos activités pour autant que ce soit possible. Dès le milieu du mois, vous retrouverez votre entrain, vous deviendrez plus qu'actif, vous vous enthousiasmerez pour un projet ou deux, vous aurez une grande énergie sentimentale, bref, vous agirez. Vous garderez une part secrète, vous resterez discret sur vos projets, vous ne divulguerez pas toutes vos idées... Travaillez un peu dans l'ombre, vous saurez encore mieux quoi faire quand le temps sera venu.

Vous plairez beaucoup en ce début de mois d'*octobre;* vous serez bien dans votre peau et pourriez vivre des sentiments chaleureux. Vous serez en fait plus enthousiaste et curieux qu'en temps ordinaire. Prenez soin de l'être aimé, et accueillez favorablement toute proposition d'intimité, car vous y trouverez de grands bonheurs. Par ailleurs, vous aurez le sens de l'à-propos et serez habile en matière de planification.

Réorganisez votre espace de travail ou certaines étapes de votre routine: vous serez ainsi capable de voir ce qui tient la route et ce qui n'a plus sa raison d'être. En ce dernier trimestre de l'année, consacrez, même si vous êtes passablement occupé, plus de temps à votre vie familiale, intime, amoureuse qu'à vos amitiés ou à vos activités.

En *novembre,* vous serez dans une excellente forme à tous points de vue, mais en particulier en ce qui touche l'intimité et les relations sentimentales. Vous vivrez une éclaircie sentimentale. Choyez la personne que vous aimez, gâtez-la, car vous aurez vraiment la touche pour faire plaisir. Si vous êtes célibataire, osez quelques pas en direction d'une personne qui vous plaît. En matière de finances, que ce soit dans le cadre de votre emploi ou de votre vie personnelle, vous saurez gérer de façon à tirer le meilleur parti de la réalité, mais vous pourriez trouver que les dépenses sont nombreuses. Vers la mi-novembre, vous deviendrez franchement habile du côté des communications. Vous adorerez toutes les formes de discussions, même les plus corsées. Si votre emploi ou vos activités vous offrent la possibilité d'être plus mobile, saisissez l'occasion.

Décembre se présente sous de bons augures. Gardez-vous d'agir avec précipitation, prenez le temps de réfléchir avant de parler ou de commencer un projet, et tout ira comme vous le souhaitez. Un ami ou un collègue pourrait vous donner du fil à retordre. Si vous sentez qu'un lien de confiance se relâche, retirez vos billes du jeu sans trop faire de bruit, sans vous plaindre non plus, car vous perdriez votre temps. Si, par ailleurs, vous pouvez donner un coup de main à un proche, n'hésitez pas. Ce sera pour vous une fin d'année passablement occupée. Vous deviendrez très stable au cours des prochains mois.

蛇

Le Serpent

Vous êtes curieux et doté d'une intelligence remarquable.

Vos entreprises sont promises à la réussite.

Bien que vous appréciiez la stabilité, vous savez dire oui au changement.

Votre réserve peut vous faire passer pour un solitaire.

***

Serpent de Terre : du 10 février 1929 au 29 janvier 1930

Serpent de Métal : du 27 janvier 1941 au 14 février 1942

Serpent d'Eau : du 14 février 1953 au 2 février 1954

Serpent de Bois : du 2 février 1965 au 20 janvier 1966

Serpent de Feu : du 18 février 1977 au 6 février 1978

Serpent de Terre : du 6 février 1989 au 26 janvier 1990

Serpent de Métal : du 24 janvier 2001 au 11 février 2002

Serpent d'Eau : du 10 février 2013 au 30 janvier 2014

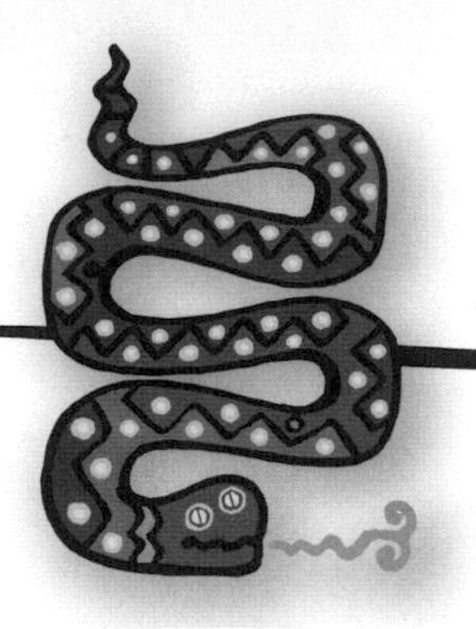

La personnalité du Serpent

Le Serpent s'insinue, contourne, ne choisit jamais la manière directe. Il fait, dit-on, le moins d'efforts possible pour tirer un maximum de résultats. Il ne sent pas le besoin d'agir constamment. C'est un être mystérieux et insondable ; vous vous demanderez toujours à qui vous avez réellement affaire. Il a le sens de l'intrigue et son sang-froid le sert. Il en sait généralement plus sur les gens qu'eux-mêmes n'en sauront jamais sur lui. Il ne se presse pas, c'est un être calme. Il n'aime pas non plus s'expliquer.

Lucide et peu naïf, on ne le berne pas. Il a un côté hédoniste marqué : il aime se faire plaisir et prendre du bon temps. Bien sûr, il apprécie le confort. En société, il est drôle et charmant sans pour autant être facile à comprendre. Il peut s'ennuyer assez facilement si on ne le charme pas. Il est heureux quand il y a de l'animation autour de lui et quand les gens qui l'entourent font preuve d'intelligence.

Le Serpent est à la fois patient et animé par une ambition profonde : il avance inexorablement vers le but qu'il se fixe. Étant le plus stratégique des signes du zodiaque chinois, il est très difficile à suivre, car on ne sait jamais où il va. On dit qu'il connaît généralement la réussite et une vieillesse heureuse.

Dans la sphère du travail, le Serpent est prêt à tout pour satisfaire ses ambitions. Malgré sa paresse naturelle (ou plutôt son sens de l'économie du geste), il parvient toujours à ses fins. Quand il veut quelque chose, vous pouvez être assuré qu'il l'aura tôt ou tard. Il n'aime ni les conseils, ni les questions, ni qu'on se mêle de ses affaires. Il réussit beaucoup grâce à sa patience et à sa présence englobante et sait aussi établir des contacts avec les gens importants. Il arrive toujours à exercer une influence durable sur les autres. Dans toutes les situations, il commence par observer, semble passif, récolte toutes les informations puis, pouf! il passe à l'action comme s'il attrapait une souris. Excellent planificateur, il met de l'avant des tactiques efficaces. Il a un fort esprit analytique et il aime fixer lui-même les règles du jeu. Il s'adapte lentement et n'accueille pas la nouveauté avec plaisir. Il a par contre de grands dons de négociateur. Le Serpent a beaucoup de flair pour tout ce qui touche les questions matérielles. Il a du talent pour dénicher les bonnes affaires, il apprécie l'argent et, surtout, ce qu'il lui permet d'obtenir. Il se débrouille globalement bien, mais s'il vit une période difficile financièrement, il devient très nerveux et inquiet.

Dans ses affections, sa froideur apparente est un masque. Il aurait avantage à s'ouvrir aux autres, mais la peur du ridicule peut facilement l'en priver. Cela dit, il donne souvent un coup de main à ses proches, car sa lucidité lui permet de voir ce que peu de gens perçoivent. Il sait d'ailleurs très bien reconnaître le potentiel caché chez les autres. En famille, il défendra les siens avec la plus grande ardeur. Sa contradiction? Il peut parfois avoir tendance à s'éloigner de ceux qui veulent se rapprocher de lui et à vouloir se rapprocher de ceux qui s'éloignent.

En amour, le Serpent est très sensuel: il envoûte littéralement la personne aimée. Il est également sensible à l'effet qu'il suscite et a besoin d'être choyé. Élégant, raffiné et astucieux, il séduit. Sa possessivité l'aide toutefois à rester fidèle. Au Japon, le plus beau compliment qu'un homme puisse faire à une femme, c'est: « Vous êtes un véritable Serpent! » Chez les Orientaux, on considère en effet que donner naissance à une fille durant une année du Serpent favorise la chance au sein de la famille. Madame Serpent a la réputation d'être belle, sage et « facile à marier ». Elle sait toujours se mettre en valeur. Monsieur Serpent émet un magnétisme qui peut faire des ravages. Gardez tout de même en tête qu'il n'est pas très fort pour détacher les yeux de lui-même. Sa plus grande qualité? Il possède une extraordinaire clairvoyance.

Ses rôles

- Quel que soit le rôle, le Serpent a deux visages: l'un public, l'autre privé.
- L'enfant impressionne et charme les adultes.
- Le parent est ambitieux pour ses enfants.

- L'amoureux est jaloux, possessif et fidèle. Il aime être dorloté.
- L'enseignant procède par étapes. C'est un guide astucieux.
- En affaires, il a du succès grâce à son sens de la planification ; il ne laisse rien au hasard.
- Le patron décide de tout.
- L'ami ou le collègue est discret et de bon conseil.
- L'ennemi est dangereux : il se bat pour gagner.

Ce qu'il représente

Les Chinois attribuent au Serpent la puissance et le pouvoir sur les éléments. Ils le comparent à un cours d'eau, en raison des mouvements ondulatoires qu'il fait en se déplaçant. Le Serpent est aussi un symbole à forte connotation sexuelle. Son nom chinois symbolise l'ambition et la sagesse.

Les éléments

Le Serpent de Métal est volontaire et raffiné. Il dirige tout sans en avoir l'air. L'élément Métal révèle chez le Serpent une grande autorité. Ce natif parvient au sommet sans se faire remarquer.

Le Serpent d'Eau est matérialiste, cérébral et sage. L'élément Eau, en relation avec la sensibilité et les émotions, a un effet sur son intuition, qui est très grande. Ce natif peut allier mystère et réalité. Il aime l'art. Il est parfois rancunier.

Le Serpent de Bois est imaginatif, brillant et passionné. L'élément Bois, qui favorise l'expansion et l'épanouissement, fait de lui un être créatif et très curieux.

Le Serpent de Feu est séducteur. Il aime le pouvoir. L'élément Feu lui donne chaleur, générosité et joie de vivre. Toutefois, le natif attache parfois trop d'importance à l'argent.

Le Serpent de Terre est chaleureux, expansif et mystérieux. Il peut résoudre des problèmes complexes. L'élément Terre renforce son sens de la réalité et son esprit pratique. Ce natif est particulièrement lent et réfléchi.

Harmonies et conflits

++ Le Serpent s'entend bien avec le Buffle et le Coq. Tous trois voient les choses sous un même angle et sont portés à s'entraider. Ce sont des planificateurs anxieux. Le Buffle doit accepter les conseils du Serpent. Le Coq et le Serpent s'estiment profondément, ils font une association ou un couple réussi.

+ Le Serpent et le Dragon peuvent faire une bonne équipe. Ils vont dans le même sens en utilisant des moyens différents: secrets pour le Serpent, visibles pour le Dragon. Avec le Lièvre, le Serpent connaît aussi l'harmonie.

– Le Serpent est dérouté par la confiance naturelle, la bonne volonté et la générosité du Sanglier. Ils s'entendent difficilement, à moins d'avoir des ascendants qui compensent leurs divergences.

蛇

Prévisions pour le Serpent

Si tu as de nombreuses richesses, donne ton bien ;
si tu possèdes peu, donne ton cœur.

Proverbe berbère

Du 31 janvier 2014 au 18 février 2015

Cette année en sera une de consolidation des acquis : vous réaliserez tout projet ou tout rêve qui vous tient à cœur. Vous ne serez intéressé qu'à ce qui peut exister dans la réalité et n'entretiendrez pas d'illusions ou de rêveries. Vous analyserez toute situation avec un jugement sûr. Vous aurez peut-être de la difficulté à supporter les gens qui se contentent de rêver leur vie, ceux qui ne quittent pas ce qui ne leur convient plus. Il vaudra mieux être patient et ne pas juger trop vite certaines situations.

Des questions d'argent se régleront au mieux si vous êtes présent, car vous saurez prendre les meilleures décisions au cours des prochains mois. Vous aurez aussi de la chance et pourriez bénéficier d'un don. J'exagère à peine. Disons que si vous portez votre attention sur des aspects financiers de votre vie personnelle, vous améliorerez à coup sûr votre situation. Profitez de cette éclaircie pour y voir. Vous pourrez réaliser tout projet qui vous tient à cœur. Pour cela, entourez-vous de gens en qui vous avez confiance. Vous serez habile en affaires et pourrez augmenter vos gains de manière importante. Ne mettez pas tous vos œufs dans le même panier, mais ne vous éparpillez pas non plus.

Ce n'est pas une année propice à de grands changements. Ceux-ci ont été apportés l'année dernière alors que tout s'y prêtait. Cela dit, s'il vous en reste quelques-uns à accomplir, eh bien, vous pourrez vous en occuper au cours des prochains mois. Comme vous êtes de nature stable et organisée, vous saurez certainement bouger au bon moment.

Vous aurez de solides liens avec les gens grâce à un bon équilibre intérieur. Les relations à deux sont favorisées, car elles vous laisseront à la fois assez d'espace et d'intimité pour que vous soyez pleinement à l'aise. Vous ressentirez un immense besoin d'amour et de tendresse, attention toutefois à ne pas devenir inutilement jaloux. Si vous passez beaucoup de temps avec l'être cher, vous n'en serez que plus heureux.

Ce sera un bon cru pour tout ce qui est concret; vous ferez preuve de prévoyance, vous atteindrez un but et les résultats seront à la hauteur de vos attentes.

Vos amours

Vos paroles et vos actes iront dans le même sens, et vous ne croirez qu'à ce qui est vrai et durable. Si quelqu'un voulait vous mener en bateau, il perdrait littéralement son temps. Vous saurez ce que vous voulez et proposerez à l'être cher des activités qui sortiront de l'ordinaire et qui vous ressourceront. Il vous faudra par ailleurs être aux aguets pour ne pas prendre la personne que vous aimez pour une de vos possessions. Ce n'est pas un trait de caractère qui vous appartient normalement, mais il faudra faire attention à cet aspect. Ce sera une année chaleureuse à plus d'un titre, à la condition de ne pas tenter de diriger chaque pas que fait votre partenaire. Cela dit, vous serez clair quant à ce que vous désirez et cela pourra rassurer la personne qui vous aime.

Dans votre ciel des prochains mois, des questions d'argent et d'amour seront peut-être liées. Soit l'un de vous recevra des biens inattendus, soit vous déciderez de resserrer votre budget ensemble, soit l'un de vous attendra de l'aide de l'autre. Par ailleurs, tout investissement à deux pourrait être rentable. Vous n'aurez aucune difficulté à faire équipe avec l'être cher et cultiverez un très bon sens de l'intimité.

L'expérience est dans les doigts et dans la tête.
Le cœur n'a pas d'expérience.

Henry David Thoreau

Célibataire, vous serez en bonne position pour faire une rencontre durable. Vous ne serez pas pressé, ce qui sera très bien, mais vous plairez tout de même beaucoup. La seule difficulté : regardez bien si vous avez de bonnes chances de vous entendre à long terme avec cette personne. Si vous êtes célibataire depuis longtemps, vous verrez qu'une intimité pourrait alors éclore agréablement. Vous engager à long terme vous fera un grand bien. Si vous laissez la personne aimée venir à vous à son rythme, vous n'en serez que plus heureux. Vous préférez rester célibataire ? Sachez tout de même vous entourer d'amis, car la solitude ne sera pas pour vous cette année.

En couple, si vous vous abstenez de vouloir diriger la vie de l'être aimé, vous connaîtrez une année merveilleuse. Vous pourrez établir une communication harmonieuse, ce qui facilitera et embellira votre vie. Par ailleurs, vous aurez un besoin réel de vous sentir en sécurité dans votre relation intime ; si cela vous manque, faites part de ce que vous ressentez. Votre vie amoureuse s'épanouira au mieux, car vous saurez y mettre toute votre grâce. Si vous vivez à deux depuis plusieurs années, vous serez heureux de constater que plus le temps passe, plus vous êtes bien et heureux avec l'être cher. Rien ne viendra se mettre en travers de votre route, vous pourrez profiter pleinement de plusieurs moments de bonheur.

Cœur atout !

- Vous saurez mettre les petits plats dans les grands et faire ainsi plaisir à l'être aimé ou à vos proches.
- Vous plairez beaucoup cette année, ce qui flattera votre ego. Il faut bien le nourrir, vous le saurez. Des compliments vous donneront le sourire aux lèvres.

Vos activités

Prenez le temps de définir un rêve ou deux, de fixer clairement vos objectifs, et vous pourrez les concrétiser. Votre approche réaliste aura d'excellents résultats, n'en doutez pas. Vous n'aurez nul besoin de vous presser, car vous serez confiant en vous-même et en la vie, ce qui est toujours annonciateur d'avancement.

Quelles que soient vos tâches ou vos responsabilités, vous agirez au mieux de vos connaissances et cela aura de bons résultats. On reconnaîtra votre talent, mais mieux encore, vous travaillerez vous-même jusqu'à ce que vous soyez satisfait des résultats. Vos rapports de travail seront bons. Si certaines personnes vous semblent irresponsables, vous ne tenterez pas de les changer, vous trouverez simplement un moyen de vous en éloigner.

Vous aurez de bonnes capacités d'expression, ce qui vous aidera à évoluer dans un environnement de travail intéressant. Aussi, même si vous êtes dans un milieu relativement conventionnel, vous saurez mettre votre imagination au service de vos tâches. Votre prudence naturelle jouera en votre faveur, et vous saurez très bien équilibrer plaisirs et responsabilités.

Vous pourriez faire du commerce cette année, même si cela ne fait normalement pas partie de votre vie. Peut-être réaliserez-vous des gains inattendus. Si vous ne démarrez pas une entreprise, rien ne vous empêchera d'y penser et de mettre au point un plan pour le futur. Vous aurez vraiment un talent particulier pour l'argent et en prendrez pleinement conscience.

Les patrons, les collègues et les associations

Vous serez à l'aise de faire part de vos idées aux personnes en position d'autorité, de même que de diriger les gens que vous supervisez. Les faits vous intéresseront ; rien ne sert de perdre son temps en vaines conversations.

Vous aurez d'harmonieux rapports avec les collègues, à moins que l'on ne tente de vous nuire. En fait, vous serez apprécié dans votre milieu de travail ou dans vos activités, et il serait étonnant que vous viviez des tensions avec qui que ce soit au cours des prochains mois. Si vous vous associez, privilégiez les associations à deux.

L'argent et les biens

Vous saurez vraiment très bien gérer vos avoirs au cours des prochains mois et cela fera remonter en flèche votre sentiment de confiance en vous-même. Sans devenir grippe-sou, vous veillerez à ne pas faire de dépenses inutiles. Par ailleurs, vous pourriez avoir envie d'améliorer votre confort. De même, les proches pourraient vous coûter un peu cher, surtout s'il s'agit de vos enfants, mais que ne ferait-on pas pour soutenir ceux qu'on aime ? À ce sujet, n'oubliez pas que notre comportement face à l'argent peut changer au cours de la vie. On peut apprendre à bien l'utiliser et à bien s'en servir. Et si certains aspects des finances personnelles vous échappent, n'hésitez pas à demander à quelqu'un qui s'y connaît bien de vous renseigner.

L'expérience acquise vous sera d'une aide précieuse si vous souhaitez augmenter vos revenus cette année. Vous pourrez réaliser des gains ou économiser davantage.

Une ou deux astuces pour réussir

Vous aurez un intérêt suffisamment grand pour les questions d'argent et gérerez au mieux vos biens. Osez vous informer.

La forme, la santé et les loisirs

Vous aurez peut-être une énergie qui ira en dents de scie cette année ; il vaudra mieux être attentif aux besoins de votre corps pour ne pas vous fatiguer inutilement. Bien sûr, les exercices vous feront du bien, mais la marche en forêt ou en ville pourra aussi vous rendre heureux. Les endorphines nous procurent un sentiment de bien-être, ne l'oubliez pas ! Vous aurez un fort côté épicurien durant les mois qui viennent et saurez cultiver un bel art de vivre. On croit parfois qu'être épicurien c'est se gâter, mais au contraire c'est savoir se satisfaire de peu.

Pour votre santé, apprenez à limiter vos désirs et vous vous sentirez bien. En prenant simplement le temps de vivre comme vous l'entendez sans trop vous restreindre et sans trop exagérer non plus, vous

vous sentirez bien dans votre peau. Fuyez les régimes draconiens: ils vous priveraient trop et pousseraient votre corps à réclamer davantage de nourriture.

Côté loisirs, ce sont les sorties à deux qui vous plairont davantage, avec des amis ou votre amoureux. Vous aimerez aussi les activités artistiques, en particulier la musique ou le cinéma.

L'amitié

Vous saurez comprendre vos amis. Vous vous découvrirez des points communs avec certaines personnes et serez à l'écoute des autres. Vous ne vivrez pas de grands changements en ce qui concerne l'amitié, sauf que vous pourriez recommencer à voir des personnes que vous aviez perdues de vue depuis quelque temps.

La famille

Vous avez naturellement l'esprit familial, et ce sera la même chose cette année. Vous aurez à cœur les intérêts de vos proches. Les communications seront chaleureuses, pacifiques et réconfortantes. Si vous vivez un conflit avec un membre de votre famille, vous pourrez prendre le temps d'en discuter, et une réconciliation n'est pas impossible. Avec les enfants et les petits-enfants, vous passerez d'agréables moments. Les jeux seront joyeux.

Ce qu'on aimera de vous cette année

On aimera votre attention, votre réalisme, votre capacité de concrétiser les rêves et votre talent pour le bonheur.

Trois défis

- Prenez conscience de votre valeur et soyez-en fier.
- Attention de ne pas vous laisser aller physiquement. Si vous ressentez des douleurs, occupez-vous-en pour qu'elles n'augmentent pas.
- Ne soyez pas trop téméraire, la prudence est utile.

L'année selon votre élément

Serpent de Métal

Vous irez votre petit bonhomme de chemin sans vous en faire avec quoi que ce soit cette année. Vous vous sentirez calme et pourriez vous intéresser à un nouveau projet. Si vous avez la possibilité de voyager, profitez-en pleinement. Vous vous adapterez à toute situation nouvelle avec un aplomb peu commun. Rencontres agréables à l'horizon. La vie de famille sera chaleureuse et paisible. Voici une année à la fois tranquille et agréable.

Serpent d'Eau

Vous adopterez un rythme plus lent, ce qui vous fera du bien. Vous aurez tout de même beaucoup d'énergie et pourrez réaliser un projet qui vous tient à cœur. Vous saurez profiter des bonnes choses de la vie sans vous inquiéter de rien. D'heureuses surprises vous rendront plus calme, plus rassuré. Votre vie sentimentale sera chaleureuse; que vous soyez en couple ou non, vous connaîtrez des joies bien agréables en compagnie des proches. Si vous souhaitez voyager, les astres s'aligneront en conséquence et rien ne viendra se mettre en travers de votre route. Vous serez heureux en famille auprès des gens que vous aimez. Vous pourriez vous rapprocher de certains amis d'antan.

Serpent de Bois

Vous vous sentirez en bonne harmonie avec tous au cours des prochains mois et aurez un sens aigu de l'organisation. Vous serez en réalité d'une rare efficacité, on pourra vous faire confiance. Dans vos tâches quotidiennes, pas étonnant que l'on vous confie de nouvelles responsabilités. Si vous travaillez pour une grande organisation, vous aurez le désir de bouger, d'obtenir une promotion, et cela sera possible. Quoi qu'il en soit, soyez aux aguets et donnez-vous la chance d'exercer vos talents. Vous ferez certainement des gains supplémentaires cette année. En famille, si des proches vous donnent un peu de fil à retordre, vous serez capable d'en parler chaleureusement et de trouver des solutions. Vous pourriez être très fier de ce que vivent certains proches. Vous aurez le cœur sur la main et voudrez le bonheur de tous ceux qui sont auprès de vous.

Serpent de Feu

Vous aurez une bonne dose de confiance en vous, ce qui vous donnera peut-être le goût d'aller de l'avant dans certains projets que vous poursuivez. Vous favoriserez les ententes à long terme et serez un habile négociateur dans toute entreprise. Excellente année pour augmenter vos gains; vous diversifierez peut-être vos activités de manière à augmenter votre pécule. Ou alors vous vous découvrirez un intérêt ou un don pour la gestion de vos avoirs. En famille, vous enseignerez à vos jeunes enfants tout votre savoir. La vie intime est favorisée: vous serez heureux auprès des proches.

Serpent de Terre

C'est une belle année pour réaliser un rêve et pour acquérir une plus grande confiance en vous-même et en la vie. Vous serez d'ailleurs un amoureux de la vie cette année et verrez aisément le bon côté des choses. Si vous êtes au début de votre vie active, vous aurez le vent dans les voiles et une imagination qui rassurera votre employeur. Si vous n'êtes plus là, vous saurez faire de chacune de vos journées un moment agréable. Pour votre santé, cultivez les bonheurs simples; pour l'amour, croyez-y simplement et soyez parfaitement intègre. Votre joie viendra des moments que vous partagerez avec les autres et des activités que vous ferez avec attention. Un très bon cru pour vous, les instants de bonheur seront nombreux.

Au fil des mois

On trouvera chez vous beaucoup d'indépendance et d'originalité en *janvier*. Vous aurez une approche personnelle et ne serez pas tenté de suivre les modes pour faire comme tout le monde. En ce début d'année, vous traverserez peut-être des périodes de tensions et de nervosité. Si c'est le cas, détendez-vous plus souvent durant les prochaines semaines. La pratique d'exercices physiques vous sera profitable. Dans vos activités, vous irez de l'avant et comprendrez mieux certains enjeux. Vous développerez de bons contacts avec des collègues ou des gens qui ont les mêmes champs d'intérêt que vous. Vous aurez aussi beaucoup de sympathie naturelle et de compréhension pour les gens qui vous entourent.

En *février*, ce sera le moment de travailler dans l'ombre, de planifier, de dresser un bilan et de commencer très lentement de nouveaux projets. Au travail, on vous testera peut-être durant les premières semaines du mois, et l'on pourrait vous en demander beaucoup, mais vous saurez faire face à la musique et relever un défi. À partir de la mi-février, vous pourrez profiter d'une popularité accrue, et vous verrez que bien des choses se faciliteront grâce à l'appui de certaines personnes. Côté cœur, vous aurez tendance à être secret et à ne pas exprimer vos sentiments. Vous pourriez prendre un ton plus sec que ce que vous sentez intérieurement ou ne pas faire des gestes qui rapprochent. Si vous ressentez un besoin de solitude, respectez-le; vous pourrez ensuite faire place à un renouveau. Écoutez de la musique, cela vous fera un bien énorme. Pour votre santé, mangez sainement.

En ce mois de *mars*, vous prendrez véritablement un nouvel essor. Vous aurez l'impression que tout a changé autour de vous, alors que c'est vous qui aurez changé. Vous plairez par votre douceur autant que par votre franc-parler, ce qui vous rendra optimiste et enthousiaste. Vous serez également en bonne forme physique, ce qui facilitera tout et vous rendra de bonne humeur. En tout début de mois, vous aurez peut-être tendance à vous rebeller et à être imprévisible ; si c'est le cas, laissez un peu de temps passer et tout rentrera dans l'ordre. Vous vous découvrirez une attirance pour ce qui est scientifique et prouvable et aurez peu d'attrait pour ce qui est mystérieux et vaguement ésotérique. En matière d'argent, rien de particulier à signaler si ce n'est que de bonnes idées pourraient vous assurer des gains supplémentaires. Jusqu'à l'automne, vous serez chanceux en matière d'argent. Dans vos activités, vous pourriez prendre la direction d'une affaire, vous aurez à tout le moins certainement le goût et les capacités de diriger. Vous saurez encourager les gens à l'action. Vos amitiés seront plaisantes et encourageantes.

Avril sera le mois idéal pour faire de l'ordre dans tout ce qui est matériel et financier. Vous aurez un intérêt soutenu pour ces domaines et verrez qu'en y mettant votre attention, vous serez en mesure d'améliorer votre situation. Vous pourriez en fait avoir un sentiment d'insécurité, et une bonne façon d'y remédier sera de trouver des moyens concrets. En couple, vous pourrez également prendre certaines décisions concernant votre avenir. Peut-être s'agira-t-il de changements matériels ou de détails concernant votre lieu de vie. Si vous êtes célibataire, vous aurez une énergie positive pour les rencontres et le désir de bien paraître aux yeux des autres. Vous aurez aussi en cette période un goût sûr et un intérêt grandissant pour vous occuper de votre environnement. Des changements agréables pourraient se faire dans votre espace de vie. Avant de prendre certaines décisions, si vous n'êtes pas trop sûr de vous, demandez conseil à un proche en qui vous avez confiance. Une seconde opinion vous ouvrira l'esprit.

En *mai*, vous serez pressé, occupé, intéressé par tout ce qui vous entoure et peut-être parfois un peu nerveux et impatient. Vous pourrez compter sur une forte énergie, mais vous supporterez peut-être difficilement les gens qui n'ont pas le même rythme que vous. Essayez de vous raisonner, et tout ira mieux. Côté cœur, vous serez en pleine forme et ouvert aux suggestions de la personne que vous aimez. Vous créerez un climat de communication mutuelle avec vos proches. Vous aimerez bien aussi partager des goûts communs, des défis intellectuels par exemple, avec l'être cher. Vous aurez du plaisir si vous sortez, ne vous en privez pas. Vous pourrez aussi avoir des conversations intéressantes et enrichissantes avec bien du monde! Sociable, il faudra satisfaire ce désir de contacts simples. En matière d'argent et de biens, vous agirez intelligemment et prendrez des décisions éclairées. Vous opterez pour ce qui est stable.

Énergique en ce début *juin*, vous mettrez en route un projet de travail ou une activité de loisirs. Quelles que soient vos occupations, vous pourrez compter sur votre force de caractère. Bien que vous soyez une personne douce et pacifique de nature, il vaudra mieux ne pas vous bousculer durant les prochaines semaines, car vous réagiriez avec vigueur. En matière d'argent, votre vigilance sera utile, même si la chance continue d'être au rendez-vous. Côté famille, vous serez occupé par celle-ci; les relations les plus intimes et les plus anciennes retiendront votre attention tout le mois. Vous serez à l'aise dans l'intimité ainsi qu'avec les gens qui vous connaissent comme s'ils vous avaient tricoté. À la maison, vous pourriez repeindre, rénover ou même déménager... vous aurez la touche pour être à l'aise dans votre nid douillet. Côté cœur, vous serez dans une forme resplendissante durant les prochaines semaines: vous saurez que vous plaisez et que vous êtes aimé, sans compter que vous aurez l'occasion d'exprimer vos sentiments. En matière de loisirs, tout ce qui est artistique vous attirera, vous plaira. Dans la nature, vous serez bien, sortez beaucoup, allez au grand air.

Vous aurez de la détermination et une forte volonté en *juillet*. Ces qualités vous serviront ou, au contraire, vous nuiront, surtout en ce qui a trait à vos finances personnelles et à vos amours. Il est utile d'avoir de la volonté, mais il faut aussi savoir lâcher prise une fois de temps en temps, et vous aurez avantage à ne pas l'oublier durant les prochaines semaines. Ne soyez pas non plus inutilement possessif, cela vous ferait vivre des émotions désagréables qui ne sont utiles en rien. En vacances? Vous serez en pleine forme, énergique, positif, créatif et d'une imagination sans bornes. Si vous avez de jeunes enfants ou êtes en contact avec les membres de votre famille, vous y trouverez de grandes sources de joie. Côté santé, vous apprécierez les plaisirs gourmands en cette période, mais vous serez également tenté par les activités physiques et les sports. Comme votre métabolisme risque d'être au ralenti, vous n'aurez pas tort de bouger beaucoup ! Si vous êtes au travail, malgré la saison, vous serez plus à l'aise dans la routine que dans le désordre. Côté communications, vous percevrez les moindres failles où qu'elles soient, en bref, vous aurez l'esprit critique.

En *août*, vous aborderez vos activités d'une manière différente. En fait, peu à peu, tout au long du mois, vous deviendrez intéressé par ce qui est stable, soigné, à l'ordre. Question travail, vous sentirez le vent changer et vous soucierez davantage des détails que de l'ensemble des choses. Vous deviendrez très précis durant les derniers mois de l'année. Vous aurez de l'intérêt pour ce qui touche le quotidien et les petits détails de l'existence. Vous aurez plaisir à concocter de bons petits plats, ou simplement à les savourer. Rien ne vous fera plus plaisir qu'un bon repas. Avec les proches et moins proches, vous déploierez une énergie positive et serez attentionné. Vos relations se stabiliseront et vous vous sentirez, en amour, en amitié et même avec les collègues, comme sur un nuage de facilité. Si vous êtes célibataire, vous pourriez faire une rencontre et saurez de toute façon vous rapprocher de la personne que vous aimez. En matière d'argent, votre situation devrait être au beau fixe.

Vous ne serez peut-être pas à l'abri des tensions en *septembre*. Ne vous mettez pas en situation de conflits et éloignez-vous des gens belliqueux. Réfléchissez à ce qui vous convient, et organisez-vous de manière à ne pas vous trouver au beau milieu d'un tourbillon. Si vos activités ou votre travail sont en lien avec les soins aux autres ou l'entraide, vous excellerez dans votre rôle. Côté santé, continuez d'être attentif à votre alimentation, visez l'équilibre, et vous y gagnerez. Côté cœur, vous aurez le désir de vous consacrer le plus possible à votre partenaire. Célibataire ? Vous serez peut-être légèrement déboussolé durant quelques semaines. Cela dit, vous serez attiré par une personne mystérieuse. Dans vos activités, vous conclurez une entente.

Pour être en forme en *octobre*, tenez-vous auprès des gens avec qui vous partagez des goûts communs. Vous aurez une véritable soif de connaître du nouveau, et plus vous serez en contact avec des gens qui ressentent les mêmes joies que vous, qui s'adonnent aux mêmes loisirs, mieux vous vous sentirez. Au travail ou dans vos activités, vous abattrez pas mal de boulot, vous serez à votre affaire et rien ne s'opposera à une augmentation de salaire ou à une promotion. En matière d'argent et de biens, vous serez littéralement choyé ce mois-ci.

Est-ce votre attitude sage ou un cadeau du ciel ? Difficile de le savoir, une chose est sûre, vous vous en tirerez bien. Vous aurez aussi de grands rêves à réaliser.

En *novembre,* vous continuerez d'être stimulé par les défis intellectuels et par tout ce qui touche les communications. Vous aurez même une curiosité peu commune et pourriez vous passionner pour des sujets différents de ce qui vous est habituel. Côté cœur, vous serez d'humeur sociable et amicale durant les prochaines semaines. Vous prendrez peut-être conscience de désirs profonds d'ici quelques jours et pourriez faire des changements dans votre cercle de vie. Au travail et dans vos activités, vous risquez d'être passablement occupé et d'avoir à défendre votre point de vue sur certaines questions. Essayez de présenter les faits avec diplomatie (ce que vous êtes naturellement enclin à faire), vous pourrez régler pas mal de problèmes avant que décembre vienne pointer son nez.

En *décembre,* si vous n'avez pas terminé un projet, il sera temps de vous presser en début de mois : vous aurez peut-être à faire vos preuves dans un secteur qui vous passionne. Par ailleurs, vous tirerez de grands plaisirs à voir du monde et pourriez rendre service à plus d'une personne, car vous aurez à cœur le bonheur des gens autour de vous. Dans vos relations intimes et amicales, vous serez de compagnie agréable. Vous serez habile aussi à organiser les fêtes, ce qui pourrait vous valoir quelques responsabilités de plus. Vous saurez également mener les gens vers un même but, leur faisant réaliser les bienfaits de la solidarité. Vous aurez le cœur voyageur en cette période et une imagination vive. Si vous rêvez d'un départ, vous pourrez le réaliser. Votre année se terminera sur une très belle note : vous aurez des plans en tête que vous pourrez concrétiser l'an prochain.

Sommaire